논·술·한·국·대·표·문·학

40

고시조집

윤선도 | 황진이 | 정약용 외

H 훈민출판사

고산 윤선도 시조비. 윤선도는 자연을 배경으로 아름다운 시조를 많이 지었다. 또한 시조 형식의 발전에 크게 기여하였으며, 이후 시조 문학에 커다란 영향을 끼쳤다.

The Best Korean Literature

고산 윤선도 사당 (전남 해남 소재)

이황의 신도비. 퇴계 이황은 평생을 성리학 연구에 몰두하여, 조선 성리학이 중국을 능가하는 성과를 남겼다.

황희의 반구정(경기도 파주 소재).
황희는 조선 시대 정승으로, 현명하고 인자하기로 널리 알려졌다.

정몽주의 초상. 정몽주는 고려 말의 충신으로, 그의 시조 〈단심가〉는 충절의 상징으로 여겨진다.

파산서원. 조선 중기의 문신 우계 성혼이 모셔져 있는 곳이다. (경기도 파주 소재)

성삼문의 글씨. 성삼문은 조선 초기의 문신으로, 수양 대군의 단종 폐위에 반대한 사육신 가운데 한 사람이다.

강릉 오죽헌. 율곡 이이의 생가. 이이는 이황과 더불어 조선 시대 유학의 쌍벽을 이루었다.

이색의 묘. 목은 이색은 고려 말의 학자로, 정몽주와 함께 끝까지 고려에 충성을 바친 충신이다.

The Best Korean Literature

다산 문화관. 다산 정약용은 조선 후기 실학을 집대성하였으며, 많은 저서와 시조를 남겼다.

황진이의 시비. 황진이는 조선 시대의 유명한 기생으로, 용모가 뛰어났으며, 시와 노래에도 능했다. (경기도 파주 소재)

구인환(丘仁煥)

서울대학교 사범대학 졸업. 동 대학원 졸업(문학박사)
서울대학교 명예교수, 소설가(현). 서울대학교 사범대학 국어교육연구소 소장(현)
문학과문학교육연구소 소장(현). 국제펜 한국본부 부회장(현)
한국소설문학상(1987) 예술문화대상(1994) 한국문학상(2000)
작품 〈숨쉬는 영정〉, 〈살아 있는 날들〉, 〈일어서는 산〉 외 다수

- **저서** ≪한국단편소설의 이해≫, ≪한국현대소설의 비평적 성찰≫,
  ≪고교생이 알아야 할 소설≫, ≪고교생이 알아야 할 세계단편소설≫ 외 다수

윤병로(尹柄魯)

성균관대학교 국어국문학과 졸업. 동 대학원 졸업(문학박사)
성균관대학교 교수, 문학평론가(현). 한국현대소설학회장(현)
한국문예학술저작권협회 이사(현). 한국간행물윤리위원회 위원(현)
한국펜 문학상(1987). 한국문학상(1988). 대한민국문학상(1989)
수필집 ≪나의 작은 애인들≫

- **저서** ≪현대 작가론≫, ≪한국 현대 소설의 탐구≫,
  ≪한국 근대 작가 작품 연구≫, ≪한국 현대작가의 문제작 평설≫ 외 다수

홍성암(洪性岩)

고려대학교 국어국문학과 졸업. 한양대학교 대학원 국어국문학과 졸업(문학박사)
동덕여자대학교 교수, 소설가(현). 한국문인협회 회원(현)
한국소설가협회 이사(현). 국제펜 한국본부 소설분과 이사(현). 한민족 문화학회 회장(현)
창작집 ≪큰 물로 가는 큰 고기≫, ≪어떤 귀향≫ 외
대하역사소설 ≪남한산성≫(전9권) 외 다수

- **저서** ≪문학의 이해≫, ≪현대 작가론≫, ≪한국 근대 역사소설 연구≫ 외 다수

기
획
·
감
수

임제의 시비. 임제는 조선 중기의 문인으로, 기생 황
진이의 무덤에 시조 한 수를 바친 일화로 유명하다.

논술 한국대표문학을 펴내며

21세기의 사회는 '전자 문명 시대'라 일컬어질 만큼 오늘날 전자 산업은 우리 생활의 거의 모든 분야에 다양하게 응용되고 있습니다. 출판 분야 또한 예외는 아니어서, 종래의 서책(Book) 대신에 이른바 '전자책(CD-ROM)'의 출간이 최근 들어 날로 증가하고 있습니다.

그러나 이러한 전자책은 영상 또는 모니터상으로 흥미 위주나 백과사전식 지식을 습득하는 데는 효과적일지 모르지만, 문학 공부를 위해서는 별로 도움이 되지 않습니다. 바꾸어 말하면, 문학 공부는 각 지면마다 살아 숨쉬는 표현 하나하나를 독자 자신의 머리로 음미하면서 작품을 읽어 나가는 가운데, 풍부한 상상력의 배양과 함께 작가의 의도와 그 작품의 내면을 깊이 있게 이해함으로써 이루어지는 것입니다.

이에 훈민출판사에서는, 자라나는 학생들이 범람하는 영상 매체에 길들여지기 전에, 어려서부터 유명한 세계문학 작품들을 책자를 통하여 감명 깊게 읽고 감상함으로써, 올바른 문학 공부의 기틀을 다지고, 아울러 전인 교육도 할 수 있도록 《논술 한국대표문학(전60권)》을 펴내게 되었습니다.

작품 선정은, 초·중·고등학교 국어 교과서와 역사 교과서에 실리거나 소개된 문학 작품을 중심으로 하되, 그리스 신화와 성경 이야기 등의 고전에서부터 중세·근대·현대에 이르기까지 세르반테스·셰익스피어·톨스토이 등 세계 유명 작가들의 장·단편 소설들을 엄선·수록하였습니다. 또 세계의 명시도 별권으로 엮었으며, 특히 각 단락마다 '논술 문제'를 제시하여, 장차 대학입시를 비롯한 각종 '논술 고사'에 예비 지식을 쌓을 수 있도록 배려하였습니다. 아무쪼록, 이 《논술 한국대표문학(전60권)》이 자라나는 학생들에게 문학 공부의 주춧돌이 되고, 나아가 미래를 살아가는 데 정신적 자양분이 되기를 진심으로 바라 마지않습니다.

훈민출판사

차례

평시조

우 탁

1263~1342년. 고려 후기의 유학자로 충선왕과 충숙왕 때 벼슬을 지냈다. '역동 선생'
이라 불리기도 한 우탁은 왕의 잘못에 대해 과감하게 지적하기도 하였다. 원나라에서
《주역》을 처음으로 받아들여 조선 성리학의 초석을 쌓았다.

춘산1)에 눈 녹인 바람 건듯 불고 간 데 없다
적은 덧2) 빌어다가 머리 위에 불리고저
귀 밑에 해묵은 서리3)를 녹여 볼까 하노라

주요 풀이   1) 봄철의 산.
　　　　　　2) 매우 짧은 사이. 잠깐 동안.
　　　　　　3) 서리같이 하얗게 센 머리카락.

한 손에 막대 잡고 또 한 손에 가새1) 쥐고
늙는 길 가새로 막고 오는 백발 막대로 치렸더니
백발이 제 몬저2) 알고 즈름길3)로 오더라

주요 풀이   1) 가시가 돋힌 나뭇가지.
　　　　　　2) 자기가 먼저.
　　　　　　3) 가장 빨리 갈 수 있는 길. 지름길.

이조년

1269~1343년. 고려 시대의 문신. 호는 매운당. 1294년 진사로 문과에 급제하여 벼슬을 지냈다. 시문에 뛰어났으며 왕의 잘못됨을 지적하는 등의 대쪽 같은 성격을 지녀 유배를 가기도 하였다.

이화1)에 월백하고2) 은한3)이 삼경4)인 제

일지 춘심5)을 자규6)야 알랴마난

다정도 병인 양하여 잠 못 들어 하노라

🔍 주요 풀이   1) 배꽃.
　　　　　　 2) 달이 배꽃을 환하게 비춰 주고.
　　　　　　 3) 은하수의 다른 이름.
　　　　　　 4) 밤 11시부터 새벽 1시까지의 시간. 한밤중.
　　　　　　 5) 한 나무에 깃들인 봄뜻.
　　　　　　 6) 소쩍새.

작품 해설　이 시는 작가가 정치를 비판하다가 고향으로 밀려나서 왕에 대한 애절한 심정을 토로한 것이다. 여기에서 '일지춘심'은 임을 그리는 마음을 지칭하며, 그 임을 못 잊어 우는 작가 자신을 '자규'라 했다. 그리고 백성을 돌보지 않는데다가 자신의 충성어린 간언을 외면하고 음탕함에 빠진 왕에 대한 원망과 그리움을 '다정도 병'이라고 하며 은근히 꼬집고 있다.

이 존 오

1341~1371년. 고려 공민왕 때의 충신. 호는 석산. 어렸을 때 부모를 여의었으나 열심히 공부하여 20세의 어린 나이로 과거에 급제하였다. 감찰규정을 거쳐 우정언의 벼슬을 지냈다. 신돈을 탄핵하다가 벼슬에서 쫓겨나 시골에 내려가 조용히 살았다.

구름[1]이 무심탄 말이 아마도 허랑하다[2]
중천[3]에 떠 있어 임의로[4] 다니면서
구태여 광명한 날빛을 덮어 무삼[5]하리

주요 풀이 1) 여기서는 간신들을 일컫는 말.
　　　　　2) 말이나 행동에 거짓이 많고 착실하지 못하다.
　　　　　3) 하늘의 한복판.
　　　　　4) 마음대로.
　　　　　5) 무엇.

이 색

1328~1396년. 고려 말의 충신. 호는 목은. 1354년 원나라에서 등과하여 원나라 국사원 편수관을 지냈으며, 귀국하여 문하시중의 자리에 올랐다. 포은 정몽주, 야은 길재와 더불어 고려 말 3은의 한 사람이며, 성리학을 크게 발전시켰다.

백설[1]이 잦아진 골[2]에 구름이 머흐레라[3]
반가운 매화[4]는 어느 곳에 피었는고
석양에 홀로 서 있어 갈 곳 몰라 하노라

🥄 주요 풀이   1) 흰 눈.
            2) 잦아든(없어진) 골짜기.
            3) 험악하다.
            4) 이른 봄에 피는 꽃으로 지조·절개를 상징함.

최 영

1316~1388년. 고려 말의 명장·충신. 여러 차례 왜적을 물리치고 내란을 진압하여, 고려 왕조를 수호하는 데 큰 공을 세웠다. 명나라가 철령위를 설치하여 북변 일대를 침략하려 하자 요동 정벌을 계획하고 팔도도통사가 되어 출정하였으나, 이성계의 위화도 회군으로 피살되었다.

녹이상제[1] 살지게 먹여 시냇물에 씻겨 타고

용천설악[2] 들게 갈아 두러메고[3]

장부[4]의 위국충절[5]을 세워 볼까 하노라

주요 풀이 1) 녹이는 하루에 천 리를 달린다는 말로, '좋은 말'을 이른다. 상제는 날쌘 말의 굽을 가리키며, 여기서는 하루 천 리를 달리는 날랜 말을 뜻한다.
2) 용천은 옛날 중국에 있던 보검의 하나이며, 설악은 번쩍이는 칼날, 즉 잘 베어지는 칼날을 뜻한다.
3) 둘러메고.
4) 다 자란 건장한 남자. '대장부'의 준말.
5) 나라를 위한 충성스러운 절개.

정몽주 어머니

?~?

가마귀[1] 싸우는 골[2]에 백로[3]야 가지 마라

성난 가마귀 흰빛을 새오나니[4]

창랑[5]에 좋이[6] 씻은 몸을 더러일까[7] 하노라

주요 풀이
1) 까마귀.
2) 골짜기.
3) 해오라기. 온몸이 희고, 부리와 다리는 검은 백로과의 새.
4) 시기하나니.
5) 창파. 푸른 물결.
6) 깨끗하게.
7) 더럽힐까.

이방원

1367~1422년. 이성계의 둘째 아들로, 후에 조선의 세 번째 왕인 태종이 되었다. 아버지 이성계를 도와 역성 혁명에 주도적인 역할을 하였다. 왕위를 차지하기 위해 '왕자의 난'을 일으켜 형제와 개국 공신들을 무참히 죽였다. 하지만 왕위에 오른 뒤에는 나라의 기틀을 다지기 위해 혼신의 힘을 다하였으며, 중앙집권제를 확립하였다.

하여가

이런들 어떠하며 저런들 어떠하리
만수산1) 드렁칡2)이 얽어진들 긔3) 어떠리
우리도 이같이 얽어져 백 년까지 누리리라

주요 풀이   1)개성 서문 밖에 있는 고려 왕실의 칠릉이 있는 곳.
2)둔덕을 따라 뻗은 칡덩굴.
3)그것이.

작품 해설   이 시는 조선 태종이 정몽주에게 절개를 굽혀 같은 무리에 들어올 것을 넌지시 떠보는 내용으로, 절개를 굽히면 어떻고 안 굽히면 어떠냐는 식의 회유를 담고 있다. 즉, '개성 서문 밖 만수산에 칡덩굴이 얽혀 험한들 무슨 일이 있겠느냐, 우리도 이같이 얽히고 얽혀서 몇 백 년이라도 권세를 누려 보자'는 내용이다.

정몽주

1337~1392년. 고려 말의 충신. 호는 포은. 성균관 박사를 지냈으며, 성리학에 밝아 '동방 이학의 시조'로 불리었다. 문란해진 풍속을 바로잡고 학문을 진흥시켰으며, 의창을 세워 빈민 구제에 힘쓰는 등 많은 업적을 남기었다. 역성 혁명을 꿈꾸던 이방원의 자객에 의해 살해되었다. 이성계의 〈하여가〉에 대한 답가로 부른 시조가 〈단심가〉이다.

단심가

이 몸이 죽고 죽어 일백 번 고쳐 죽어
백골1)이 진토2)되어 넋3)이라도 있고 없고
님4) 향한 일편단심5)이야 가실 줄이6) 이시랴

🥄 주요 풀이   1)죽은 사람의 살이 다 썩은 뒤에 남는 뼈.
2)한 줌의 먼지와 흙.
3)영혼.
4)고려 우왕을 가리킴.
5)한 조각의 붉은 마음. 변치 않는 참된 절개를 이르는 말.
6)변할 리가.

길 재

1353~1419년. 고려 말의 한학자. 호는 야은. 1388년 성균관 박사가 되어 제자들을 가르쳤다. 조선이 건국되자 태상 박사가 되었으나 '신하로서 두 왕조를 섬길 수 없다'고 하여 거절하고, 낙향하여 후진 양성에 전력을 다하였다. 포은 정몽주, 목은 이색과 함께 고려 말 3은의 한 사람이다. 저서로 《야은집》 등이 있다.

오백 년 도읍지1)를 필마2)로 돌아드니

산천은 의구하되3) 인걸4)은 간 데 없다

어즈버5) 태평연월6)이 꿈이런가 하노라

🥄 주요 풀이 1) 고려 왕조의 서울이던 개성을 가리킴.
2) 한 필의 말.
3) 옛 모습 그대로 남아 있건만.
4) 매우 뛰어난 인재.
5) '아! 슬프다'는 뜻으로, 시조 종장의 첫 마디에 흔히 쓰이던 말.
6) 태평스런 세월.

원 천 석

1330~? 고려 말에서 조선 초의 학자. 호는 운곡. 고려 말의 혼란한 정치에 환멸을 느껴 치악산에 들어가 농사를 지으며 이색 등과 교유하였다. 조선 태종이 된 이방원을 가르친 적이 있어 태종이 즉위하면서부터 여러 차례 벼슬을 내렸으나, 끝내 응하지 않았다.

흥망1)이 유수하니2) 만월대3)도 추초4)로다
오백 년 왕업5)이 목적6)에 부쳤으니
석양에 지나는 객이 눈물 겨워 하노라

주요 풀이　1)흥하고 망하는 일.
　　　　　 2)운수가 이미 정해져 있으니.
　　　　　 3)고려 왕실의 궁터.
　　　　　 4)가을철의 풀.
　　　　　 5)고려는 918~1392년까지 474년간의 왕업을 누림.
　　　　　 6)목동이 부는 피리 소리.

눈 맞아 휘어진 대를 뉘라서 굽다턴고1)
굽을 절이면 눈 속에 푸를소냐
아마도 세한고절2)은 너뿐인가 하노라

주요 풀이　1)굽었다고 하던고?
　　　　　 2)추운 겨울에도 변하지 않는 높은 절개.

정 도 전

1342~1398년. 고려 말에서 조선 초의 문신으로, 조선 건국의 공신이다. 호는 삼봉. 젊어서부터 학문을 좋아하여 이색의 문하에서 수학하였으며, 성균관 태상 박사가 되었다. 1397년 한양 천도 때 궁궐의 위치를 정하고, 궁과 문의 이름을 정하였다. 숭유억불을 국시로 내세워 유학 발전에 큰 공을 세웠다. 저서로 《경제육전》, 《조선경국전》, 《고려사절요》, 《삼봉집》 등이 있다.

선인교[1] 나린 물이 자하동[2]에 흐르니

반천년 왕업이 물소래[3]뿐이로다

아희야 고국 흥망[4]을 물어 무삼[5]하리요

주요 풀이 1) 개성 자하동에 있는 다리.
　　　　　 2) 송악산 기슭에 있는 경치 좋은 골짜기.
　　　　　 3) 물소리.
　　　　　 4) 역사가 오래된 고려가 흥하고 망하는 일.
　　　　　 5) 무엇.

1363~1452년. 고려 말에서 조선 초의 문신. 호는 방촌. 고려 왕조가 망하자 은둔하였으나, 이성계의 간청에 못이겨 벼슬길에 올라 여러 관직을 지냈다. 예법의 개정, 농사법 개량, 외교와 문물 제도의 정비, 집현전을 중심으로 한 문물의 진흥 등에 힘써 조선 왕조를 통틀어 가장 뛰어난 재상으로 추앙받았다.

대추 볼 붉은 골에 밤은 어이 듣들으며1)
벼 벤 그루에 게는 어이 내리는고2)
술 익자 체장수3) 돌아가니 아니 먹고 어이리4)

주요 풀이 1) 떨어지며.
        2) 기어다니는가. 논에서 벼를 베고 날 즈음이면 게가 돌아다니는
           데, 이 때 게가 가장 맛이 좋다.
        3) 체를 파는 장사치.
        4) 술을 안 먹을 수 없구나.

이 직

1362~1431년. 고려 말에서 조선 초의 문신. 호는 형재. 1400년 '왕자의 난'이 일어나자, 이방원을 도와 좌영 공신의 자리에 올랐다. 1403년에는 주자소를 설치하여 동활자인 계미자를 만들었다. 그 뒤 좌의정과 우의정에 올라 선정을 펼쳤다. 저서로는 《형재시집》 등이 있다.

가마귀 검다 하고 백로야 웃지 마라
겉이 검은들 속조차 검을소냐[1]
겉 희고 속 검은 짐승은 네야[2] 그것인가 하노라

주요 풀이　1) 검을 리가 있겠느냐?
　　　　　2) 너야말로.

맹사성

1360~1438년. 고려 말에서 조선 초의 문신. 호는 고불. 1407년 한성 부윤, 1408년 대사헌을 지냈다. 한때 부마 조대림 국문 사건으로 유배되었으나, 다시 기용되어 우의 정과 좌의정을 지냈다. 성품이 청렴하여 벼슬에 올랐을 때도 가난하게 살았으며, 늘 소를 타고 출입하였다.

강호사시가

1

강호1)에 봄이 드니 미친 흥이 절로 난다
탁교2) 계변3)에 금린어4) 안주 삼고
이 몸이 한가하옴도 역군은이샷다5)

주요 풀이 1) 강과 호수가 있는 곳. 자연.
2) 막걸리.
3) 시냇가.
4) 아름다운 물고기.
5) 역시 임금의 은혜로다.

2

강호에 여름이 드니 초당1)에 일이 없다
유신2)한 강파3)는 보내느니4) 바람이라
이 몸이 서늘하옴도 역군은이샷다

3

강호에 가을이 드니 고기마다 살지거다¹⁾
소정²⁾에 그물 싣고 흘리 띄워³⁾ 더져 두고⁴⁾
이 몸이 소일⁵⁾하옴도 역군은이샷다

주요 풀이 1)살이 올라 있다.
2)작은 배.
3)물결 따라 흐르게 띄워.
4)던져 두고.
5)어떤 일에 마음을 붙여 세월을 보냄.

4

강호에 겨울이 드니 눈 깊이 자이 남다¹⁾
삿갓 비끼²⁾ 쓰고 누역³⁾을 옷을 삼아
이 몸이 칩지 아님⁴⁾도 역군은이샷다

주요 풀이 1)한 자가 더 된다.
2)비스듬히.
3)도롱이. 띠 따위로 엮어 걸치던 옛날 비옷의 하나.
4)춥지 않음.

변계량

1369~1430년. 조선 태종 때의 학자. 호는 춘정. 정몽주 · 이색 등에게서 글을 배웠으며, 태종 때에 대제학을 지냈다. 시문에도 뛰어나 많은 작품을 남겼다.

내해[1] 좋다 하고 남 싫은 일 하지 말며

남이 한다 하고 의 아녀든[2] 좇지[3] 마라

우리는 천성[4]을 지키어 생긴 대로 하리라

주요 풀이　1) 나 하기에
　　　　　2) 옳은 일이 아니거든.
　　　　　3) 따르지.
　　　　　4) 타고난 성품.

유성원

?~1456년. 조선 시대의 학자. 호는 낭간. 사육신의 한 사람으로 1444년 식년 문과에 급제하였으며, 《의방유취》 편찬에 참여하였다. 그 뒤 성삼문 등과 단종 복위를 도모하다가 발각되어 자결하였다.

초당에 일이 없어 거문고를 베고 누워
태평성대[1]를 꿈에나 보렸더니
문전에 수성어적[2]이 잠든 나를 깨와라[3]

주요 풀이 1) 어진 임금이 다스리는 태평한 시대.
2) 어부들이 부는 피리 소리.
3) 깨우는구나.

유 응 부

?~1456년. 조선 초기의 무신. 호는 벽량. 무과에 급제한 뒤 동지중추원사에 올랐다. 사육신의 한 사람으로 성삼문 등과 단종의 복위를 꾀하다가 발각되어 죽었다. 무예에 능하였으며, 효성이 지극하였고, 재상으로서 끼니를 거를 정도로 청렴하였다.

간밤에 부던 바람에 눈서리 치단 말가1)

낙락장송2)이 다 기울어 가노매라

하물며 못다 핀 꽃이야 일러3) 무삼4)하리오

주요 풀이   1) 몰아쳤단 말인가?
2) 가지가 축축 늘어진 큰 소나무로, 지조가 뛰어난 중신들을 이름.
3) 말하여.
4) 무엇.

간밤에 부던 바람 강호에 부돗던가1)

만강2) 주자3)들은 어이 굴러 지내언고4)

산중에 들은 지 오래니 기별 몰라 하노라

주요 풀이   1) 불었던가?
2) 온 강에 가득한.
3) 뱃사람.
4) 지냈는가?

하 위 지

1412~1456년. 조선 시대의 문신. 호는 단계. 사육신의 한 사람이다. 1438년 문과에 장원급제하였으며, 집현전 부교리에 임명되어 《오례의주》의 상정에 참여하였다. 그 뒤 집현전에 등용되어 《진설》과 《역대병요》의 편찬에 참여하였다. 1456년 단종의 복위를 꾀하다가 실패하여 죽음을 당하였다.

객산1) 문경2)하고 풍미3) 월락할 제4)

주옹5)을 다시 열고 싯귀를 흩부르니6)

아마도 산인7) 득의8)는 이뿐인가 하노라

🔍 주요 풀이   1) 찾아왔던 손님이 다 돌아가자.
　　　　　　　2) 대문을 닫음.
　　　　　　　3) 바람이 약해지고.
　　　　　　　4) 달이 서산에 질 적에.
　　　　　　　5) 술항아리.
　　　　　　　6) 흩어지게 부르니.
　　　　　　　7) 산에 사는 사람.
　　　　　　　8) 바라던 대로 되어 의기가 오름.

성삼문

1418~1456년. 조선 전기의 문신·학자. 호는 매죽헌. 사육신의 한 사람이다. 글씨와 문장에 능하였으며, 집현전 학사로 세종 대왕의 훈민정음 창제를 도우면서 음운의 조사, 연구에 크게 기여하였다. 단종의 복위를 꾀하다가 발각되어 39세의 나이로 죽었다. 저서로는《매죽헌집》이 있다.

수양산1) 바라보며 이제를 한하노라2)
주려 죽을진들3) 채미4)도 하는 것가
아무리 푸새엣것5)인들 긔6) 뉘7) 땅에 났다니8)

주요 풀이 1) 중국 뇌수산의 다른 이름으로, 백이와 숙제가 숨어 살던 곳.
             2) 백이와 숙제의 행위를 한탄하노라.
             3) 굶어죽을지언정.
             4) 고사리를 캠.
             5) 푸성귀. 나물.
             6) 그것이.
             7) 누구의.
             8) 났더냐.

이 몸이 죽어 가서 무엇이 될고 하니
봉래산1) 제일봉에 낙락장송2) 되었다가
백설이 만건곤3)할 제 독야청청4)하리라

주요 풀이 1) 가상적인 산인 중국의 삼신산의 하나. 여기서는 금강산으로 보는
               것이 좋음.
             2) 가지가 축축 늘어진 큰 소나무.
             3) 온 천지에 가득함.
             4) 홀로 푸르리라.

작품 해설 이 시는 성삼문의 절개와 의기가 잘 드러난 작품이다. 작가는 단종에 대한 의리를 어기고 욕되게 사느니보다는, 영원히 늙지 않는 소나무처럼 절개를 지켜 세상과 역사를 비추는 죽음의 길을 택하겠다는 결의를 보이고 있다.

월산대군

1454~1488년. 호는 풍월주. 조선 성종의 형으로 할아버지인 세조의 총애를 받으면서 자랐다. 18세에 성종이 등극하여 아버지 의경 세자가 덕종으로 추존되자, 월산 대군으로 봉해졌다. 일찍부터 학문을 좋아하고 글솜씨가 뛰어나서 시문 여러 편이 《속동문선》에 실려 있다.

추강에 밤이 드니 물결이 차노매라[1)

낚시 드리치니[2) 고기 아니 무노매라[3)

무심한 달빛만 싣고 빈 배 저어 오노라.

주요 풀이　1)차도다.
　　　　　2)드리우니.
　　　　　3)고기가 물지 않는구나.

이 개

1417~1456년. 조선 초기의 문신. 호는 백옥헌. 사육신의 한 사람이다. 1436년 문과에 급제하였으며, 훈민정음의 창제에도 참여하였다. 그 뒤 직제학의 자리에 올랐으나, 성삼문·박팽년 등과 단종 복위를 꾀하다가 발각되어 죽었다.

방 안에 혔는1) 촉불2) 눌과3) 이별하였관대4)

겉으로 눈물지고 속타는 줄 모르는고

우리도 천 리에 임 이별하고 속타는 듯하여라

주요 풀이 1) 켜 놓은.
　　　　　 2) 촛불.
　　　　　 3) 누구와.
　　　　　 4) 이별하였기에.

박 팽 년

1417~1456년. 조선 초기의 문신. 호는 취금헌. 사육신의 한 사람으로, 경술과 문장·
필법에 뛰어났다. 수양 대군이 단종을 몰아내고 왕위에 오르자 단종 복위를 꾀하다가
탄로나 처형되었다. 충청도 관찰사로 있을 때는 세조에게 올리는 문서에 임금의 신하임
을 뜻하는 '신'이라는 글자를 절대 쓰지 않을 만큼 단종에 대한 의리를 지켰다.

가마귀 눈비 맞아 희는 듯 검노매라1)
야광명월2)이야 밤인들 어두우랴
임 향한 일편단심이야 변할 줄이 있으랴

주요 풀이   1) 검구나.
          2) 밤에 빛나는 밝은 달.

왕방연

?~? 조선 초기의 문신. 사육신을 중심으로 한 단종 복위 사건이 발각되자, 이듬해에 단종은 강원도 영월에 유배되었다. 그 뒤 단종에게 사약이 내려졌는데, 왕방연이 의금 부 도사로서 그 일을 맡았다. 당시의 괴로운 심정을 노래한 것이 아래의 시조이다.

천만 리 머나먼 길에 고운 님[1] 여의옵고[2]

내 마음 둘 데 없어 냇가에 앉아이다[3]

저 물도 내 안[4] 같아야[5] 울어 밤길 예놋다[6]

주요 풀이　1) 어린 단종을 가리킴.
　　　　　2) 이별하옵고.
　　　　　3) 앉았나이다.
　　　　　4) 내 마음.
　　　　　5) 같아서.
　　　　　6) 울면서 밤길을 흘러가는구나.

김종서

1390~1453년. 조선 초기의 문신. 호는 절재. 1433년 함길도 절제사가 되어 여진족의 침입을 막아 냈으며, 1434년에는 6진을 개척하여 두만강을 국경으로 삼았다. 그 뒤 《고려사》 개찬의 책임을 맡았다. 문종의 명을 받아 어린 단종을 돕다가, 왕위를 노리던 수양 대군에게 죽임을 당했다.

호기가

삭풍[1]은 나무 끝에 불고 명월[2]은 눈 속에 찬데
만리 변성에[3] 일장검[4] 짚고 서서
긴 파람[5] 큰 한소리[6]에 거칠 것이[7] 없세라[8]

주요 풀이　1) 북쪽에서 불어오는 찬 바람.
　　　　　2) 보름달.
　　　　　3) 서울에서 멀리 떨어져 있는 변방의 성루. 여기서는 김종서가 지
　　　　　　 키던 함경남도의 6진을 가리킨다.
　　　　　4) 한 자루의 긴 칼.
　　　　　5) 휘파람.
　　　　　6) 큰 고함 소리.
　　　　　7) 걸리는 것이.
　　　　　8) 없구나.

남 이

1441~1468년. 조선 전기의 무신. 의산군 남휘의 아들로, 어머니는 태종의 넷째 딸인 정선 공주이다. 1457년 17세로 무과에 급제하여 세조의 극진한 총애를 받았다. 예종이 즉위한 해인 1468년 유자광의 모함을 받아 28세로 생을 마쳤다.

장검을 빼어 들고 백두산에 올라보니,
대명 천지1)에 성진2)이 잠겼세라.
언제나 남북풍진3)을 헤쳐 볼고 하노라.

주요 풀이 1) 환하게 밝은 세상.
         2) 싸움으로 인한 먼지.
         3) 남만과 북적의 병란.

백두산 바윗돌은 칼날 갈기에 다 닳았고
두만강 물은 말이 마셔 말랐네
사나이 스무 살에 나라를 평안히 못할진댄
뒷세상 어느 누가 대장부라 일컬으리

성 종

1457~1494년. 조선 9대 왕. 예종의 뒤를 이어 1469년에 즉위, 7년간 정희 대비의 수렴청정 뒤에 직접 나라를 다스렸다. 어려서부터 총명하고 무예와 서화에도 재능이 있어 할아버지인 세조의 총애를 받았다. 학문을 즐기고 유학을 장려하였으며, 재위 25년 간 많은 업적을 남겼다. 《경국대전》, 《악학궤범》, 《두시언해》, 《동문선》, 《동국통감》, 《동국여지승람》 등을 편찬케 했다.

있으렴¹⁾ 부디 갈다²⁾ 아니 가든 못할소냐.

무단히³⁾ 싫더냐 남의 말을 들었느냐.

그려도⁴⁾ 하⁵⁾ 애닯고야 가는 뜻을 일러라.

주요 풀이　1) 있으려무나.
　　　　　 2) 꼭 가려느냐.
　　　　　 3) 까닭없이.
　　　　　 4) 그래도.
　　　　　 5) 몹시.

1454~1504년. 조선 전기의 성리학자. 호는 한훤당. 김종직의 제자로 성리학에 정통했으며, 효성이 지극했다. 1494년 참봉에 천거되고 형조 좌랑이 되었으나, 무오사화에 연루되어 죽음을 당했다.

삿갓에 도롱이 입고 세우 중에1) 호미 메고
산전을 흘매다가2) 녹음3)에 누웠으니
목동이 우양4)을 몰아 잠든 나를 깨와다5)

주요 풀이
1) 가랑비 속에.
2) 흩어매다가.
3) 나뭇그늘.
4) 소와 염소.
5) 깨우도다.

이현보

1467~1555년. 조선 중기의 문신. 호는 농암. 1498년 식년 문과에 급제한 뒤 정언 · 지충주부사 등을 지냈다. 자연을 노래한 대표적인 문인으로, 조선 초기 시가에서 중기 시가로 발전하게 하는 기틀을 마련하였다. 고려 때부터 전해 오던 〈어부사〉를 개작하였으며, 〈농암가〉를 비롯한 시조 8수를 남겼다.

굽어는1) 천심녹수2) 돌아보니 만첩청산

십장홍진3)이 언매나4) 가렸는고

강호에 월백하거든 더욱 무심하여라

🔍 주요 풀이　1) 굽어보면
　　　　　　2) 천 길이나 되는 맑은 물.
　　　　　　3) 열 길이나 쌓인 티끌, 곧 속세.
　　　　　　4) 얼마나.

농암가

농암1)에 올라 보니 노안2)이 유명이로다3)

인사 ㅣ4) 변한들 산천인들 가실소냐5)

암전6)의 모산모구7)는 어제 본 듯하여라

🔍 주요 풀이　1) 이현보가 은거하던 지역의 냇가에 있는 바위 이름.
　　　　　　2) 늙은이의 잘 보이지 않는 눈.
　　　　　　3) 오히려 밝도다.
　　　　　　4) 'ㅣ'는 받침 없는 글자 밑에 주로 쓰이던 주격 조사임. 인사가.
　　　　　　5) 변할 수 있으랴.
　　　　　　6) 바위 앞.
　　　　　　7) 어느 산 어느 언덕.

송 인

1517~1584년. 호는 이암. 1526년 중종의 서녀 정순 옹주와 혼인하여 부마가 되었다. 높은 관직에 있으면서 이황·조식·이이·성혼 등과 견줄 만한 많은 글을 짓고 썼다. 저서로 《이암집》이 전한다.

들은 말 즉시 잊고 본 일도 못 본 듯이
내 인사 이러호매 남의 시비 모를로라[1]
다만지[2] 손이 성하니 잔 잡기만 하노라

주요 풀이   1) 모를 것이로다.
            2) 다만.

서 경 덕

1489~1546년. 조선 전기의 학자. 호는 화담. 일생 동안 성리학 연구에 전념하여 이기론의 본질을 연구, 이기일원론을 체계화하였다. 산림에 은거하여 제자들과 학문을 토론하고, 진리를 추구하면서 살아갔다. 송도(지금의 개성)의 화담에서 일생의 대부분을 보내어 후세에 박연폭포 · 황진이와 함께 '송도삼절'로 불렸다. 저서로는 《화담집》 등이 있다.

마음이 어린1) 후니 하난 일이 다 어리다
만중운산2)에 어늬 님 오리마난3)
지난 닢 부난 바람에 행여 그인가 하노라

주요 풀이   1) 어리석은.
          2) 겹겹이 구름에 싸인 산 속.
          3) 오리오마는.

마음아 너는 어이 매양1)에 젊었는가
내 늙을 적이면 넨들 아니 늙을소냐
아마 너 좋아다니다가 남 우일까2) 하노라

주요 풀이   1) 늘. 언제나.
          2) 남에게 비웃음을 당할까.

조 식

1501~1572년. 조선 중기의 학자. 호는 남명. 어려서부터 호탕한 기상을 지녔으며, 성리학을 연구하여 독특한 경지를 이룩하였다. 벼슬에 나가지 않고 평생 동안 학문 연구와 후진 양성에 전념하였다. 또한 임진왜란 때에는 의병 활동에 적극 참여하는 등 실천하는 선비의 모습을 보여 주었다. 저서로 《남명집》 등이 있다.

삼동1)에 베옷2) 닙고 암혈3)에 눈비 맞아
구름 낀 볕뉘4)도 쬔 적이 없건마난
서산에 해 지다 하니5) 눈물 겨워 하노라

주요 풀이

1) 겨울철 석 달 동안을 가리키는 말.
2) 여름철에 입는 베로 만든 옷. 여기서는 벼슬이 없는 사람을 가리킴.
3) 바위 구멍. 여기서는 세상을 등진 고결한 선비들이 숨어 사는 곳을 말함.
4) 약간의 햇볕.
5) 해가 진다 하니. 여기서는 중종의 죽음을 뜻함.

작품 해설 이 작품은 연산군으로부터 중종·명종·선조에 이르기까지 성리학자로 이름이 높았으나, 수차례의 벼슬 임명도 거절한 조식이 중종의 죽음을 슬퍼하는 내용이다. 작가는 추운 겨울에도 바위 동굴에서 삼베옷을 입고 지내며, 임금의 은혜(벼슬)는 한 번도 받아 본 일이 없지만, 임금이 죽으니 눈시울이 저절로 뜨거워진다고 노래하였다.

두류산1) 양단수2)를 예 듣고 이제 보니

도화3) 뜬 맑은 물에 산영4)조차 잠겼세라

아희야 무릉5)이 어디뇨 나는 옌가6) 하노라

주요 풀이   1) 지리산의 다른 이름.
2) 두 줄기로 갈리어 흐르는 물.
3) 복사꽃.
4) 산 그림자.
5) 중국 호남성의 지명으로, 선경 즉 별천지를 말함.
6) 여기인가.

김 육

1580~1658년. 조선 후기의 문신. 호는 잠곡. 1605년 사마시에 합격하여 벼슬을 지냈으나, 당파 싸움에 밀려 은거 생활을 하였다. 인조반정 후 벼슬을 다시 시작하여 1638년 효종 때에는 영의정이 되었다. 그는 특히 서양력을 잘 알아 시헌력이라는 새 역법을 쓰자고 주장했으며, 그의 경제학은 실학의 선구적 역할을 하였다.

자네 집에 술 익거든 부디 날 부르시소
내 집에 곳¹⁾ 피거든 나도 자네 청해옴세²⁾
백 년덧³⁾ 시름 잊을 일을 의논코자 하노라

주요 풀이   1) 꽃.
           2) 청하겠네.
           3) 백년 동안.

송 순

1493~1582년. 조선 중기의 문신. 호는 면앙정. 전남 담양에서 태어나, 1519년 별시 문과에 급제한 뒤 대사간, 춘추관사 등을 역임하였다. 말년에 고향에 안주하여 제자들을 가르쳤다. 이현보처럼 강호가를 개척하여 퇴계와 송강에게 큰 영향을 끼쳤다. 〈면앙정가〉, 〈면앙정단가〉, 〈오륜가〉 등의 작품과 《면앙정집》 등의 저서를 남겼다.

풍상1)이 섞어 친 날에 갓피온2) 황국화3)를
금분4)에 가득 담아 옥당5)에 보내오니
도리6)야 꽃이온 양7) 마라 임의 뜻을 알괘라8)

주요 풀이 1) 바람과 서리.
2) 막 피어난.
3) 노란 국화.
4) 금빛 쟁반.
5) 홍문관을 달리 이르던 말. 또는 홍문관의 부제학 · 교리 · 부교리 · 수찬 · 부수찬을 통틀어 이르던 말.
6) 복사꽃과 오얏꽃.
7) 꽃인체.
8) 알겠노라.

십년을 경영1)하여 초려삼간2) 지어 내어
나 한 칸 달 한 칸에 청풍3) 한 칸 맡겨 두고
강산은 들일 데 없으니 둘러 두고 보리라

주요 풀이 1) 계획을 세워 일을 해 나감.
2) 초가삼간. 작은 초가를 이르는 말.
3) 맑은 바람.

꽃이 진다 하고 새들아 슬어[1] 마라
바람에 흩날리니 꽃의 탓 아니로다
가노라 희짓는[2] 봄을 새와[3] 무슴하리요[4]

주요 풀이   1) 슬퍼.
            2) 휘젓는. 희롱하는.
            3) 시기하여.
            4) 무엇하리오.

1482~1519년. 조선 중기의 성리학자. 호는 정암. 1515년 알성과에 급제하여 성균관 전적·부제학·대사헌 등을 지냈다. 하지만 남곤 등의 무고를 입어 기묘사화 때 죽임을 당하였다. 문집으로 《정암집》이 전한다.

저 건너 일편석[1]이 강 태공의 조대[2]로다
문왕[3]은 어디 가고 빈 대만 남았는고
석양에 물 차는 제비만 오락가락하더라

주요 풀이　1)한 조각의 돌.
　　　　　2)강태공이 낚시하던 자리.
　　　　　3)주나라 무왕의 아버지. 위수에서 낚시질하는 강태공을 만나 스승
　　　　　　으로 삼음.

1517~1584년. 조선 시대의 문신·서예가. 호는 봉래. 산수를 좋아하여 금강산에 자주 드나들었으며, 〈금강산 유람기〉를 남겼다. 해서와 초서에 뛰어났으며, 안평 대군·김구·한호와 함께 조선 초 4대 서도로 불린다. 저서로는 《봉래집》 등이 있다.

태산1)이 높다 하되 하늘 아래 뫼2)이로다

오르고 또 오르면 못 오를 리 없건마는

사람이 제 아니 오르고 뫼만 높다 하더라

주요 풀이　1) 중국 산둥성에 있는 명산. 예로부터 왕자가 천명을 받아 성씨를 바꾸면, 반드시 그 사실을 태산의 산신에게 아뢰었다 한다.
　　　　　2) 산.

성 혼

1535~1598년. 조선 중기의 문신. 호는 우계. 한양에서 태어났으며, 17세 때 초시에 합격하였으나 병으로 중시를 포기하고, 백인걸 문하에 들어가 경학 연구에 정진하였다. 선조가 벼슬을 내렸으나 모두 사양하고, 1592년 임진왜란 때 광해군의 부름으로 우참판·좌참판을 역임하였다. 이이와 교분이 두터웠으나, 이황의 학설을 지지하고 이이의 학설을 비판했다. 저서로는 《우계집》, 《위학지방》 등이 있다.

말 없는 청산[1]이요, 태 없는 유수로다[2]
값 없는 청풍[3]이요, 임자 없는 명월[4]이라
이 중에 병 없는 이 몸이 분별없이[5] 늙으리라

주요 풀이 1)푸른 산.
          2)아무 모양이 없는 물이로다.
          3)맑고 시원한 바람.
          4)밝은 달.
          5)옳고 그름과 좋고 나쁨을 가리는 바 없이.

김 구

1488~1534년. 조선 초기의 문신·서예가. 호는 자암. 1511년 별시 문과에 급제하였으며, 1519년 부제학으로 승진하였다. 기묘사화 때 개령에 유배되었다가 풀려났다. 조선 초기 4대 서예가의 한 사람으로 독특한 인수체를 이루었다. 〈자암필첩〉, 〈우주영허첩〉 등의 글씨와 《자암집》 등의 저서를 남기었다.

나온댜1) 금일2)이야 즐거온댜 오늘이야

고왕 금래에3) 유 없는 금일이여

매일이 오날 같으면 무삼 성이 가새리4)

🔍 주요 풀이   1) 즐겁도다.
          2) 오늘.
          3) 예로부터 이제까지.
          4) 화낼 일이 없겠구나.

올해1) 달은 다리2) 학긔3) 다리 되도록애

거믄 가마괴 해오라비 되도록애

향복 무강하샤4) 억만 세5)를 누리소셔

🔍 주요 풀이   1) 오리의.
          2) 짧은 다리.
          3) 학의.
          4) 언제까지나 복을 누리시어.
          5) 억만 년.

황진이

?~1530년. 조선 중종 때 개성의 명기. 시인. 본명은 진, 기명은 명월. 시·서·음률에 모두 뛰어났으며, 용모 또한 절색이었다. 지족선사, 서경덕, 벽계수 등 명창·율객·문사·학자들과 사귀며 명산 대천을 찾아 놀기를 즐겨하였다. 서경덕·박연폭포와 더불어 송도 3절이라고 불리었다.

청산리[1] 벽계수[2] | 야, 수이 감을[3] 자랑 마라

일도 창해면[4] 다시 오기 어려우니

명월이 만공산[5]하니 쉬어 간들 어떠리

주요 풀이　1)푸른 산 속의.
　　　　　　2)푸른빛이 도는 맑고 깨끗한 시냇물, 즉 벽계수를 빗댐.
　　　　　　3)빨리 흘러가는 것을.
　　　　　　4)한 번 푸른 바다에 이르면.
　　　　　　5)밝은 달빛(황진이 자신)이 아무도 없는 산에 가득 비치니.

작품 해설　　이 시는 황진이의 대표시로 널리 알려져 있다. 작품의 유래를 살펴보면 다음과 같다. 당시 높은 문벌의 벽계수라는 사람이 있었는데, 자기는 다른 사람들처럼 황진이를 보고 반하는 일이 없을 것이라고 늘 큰소리를 쳤다. 이 말을 들은 황진이가 사람을 시켜, 달 밝은 가을밤 벽계수를 만월대로 오게 했다. 황진이가 이 시조를 읊어 유혹하니, 벽계수는 자기도 모르는 사이 도취되어 그만 타고 온 나귀에서 떨어져 웃음거리가 되었다고 한다. 이것으로 미루어 푸른 물 벽계수는 사람 벽계수를 의미하고, 밝은 달 명월은 황진이의 기명인 명월을 빗댄 것임을 알 수 있다.

동짓달[1] 기나긴 밤을 한 허리[2]를 버혀 내어
춘풍 이불[3] 아래 서리서리[4] 넣었다가
어룬 님[5] 오신 날 밤이어든 구비구비 펴리라

🔍 주요 풀이 1) 음력 11월. 동지가 든 달로서, 일 년 중 밤이 가장 긴 달이다.
　　　　　　 2) 한가운데.
　　　　　　 3) 따스한 봄바람이 감도는 여인의 이부자리.
　　　　　　 4) 물건을 포개며 휘감아 올린 모양.
　　　　　　 5) '정든 사람'이라는 뜻의 옛말. 또는 '얼은 님'으로 보아 추위로
　　　　　　　　 몸이 언 임으로 해석하기도 한다.

내 언제 무신하여[1] 님을 언제 속였관대[2]
월침 삼경[3]에 온 뜻이[4] 전혀 없네
추풍에 지는[5] 잎소리야 낸들 어이하리요

🔍 주요 풀이 1) 믿음이 없어.
　　　　　　 2) 속였기에.
　　　　　　 3) 달이 서쪽 하늘로 기울어진 한밤중.
　　　　　　 4) 찾아온 듯한 흔적이.
　　　　　　 5) 가을 바람에 떨어지는.

어져[1] 내 일이야 그릴 줄[2] 모르더냐
있으라 하더면 가랴마는[3] 제 구태여
보내고 그리는 정[4]은 나도 몰라 하노라

🔍 주요 풀이 1) 감탄사로 '아!'의 의미.
　　　　　　 2) 그리워할 줄, 또는 그렇게 할 줄.

3) 있으라고 하면 굳이 가겠느냐마는.
4) 떠나보낸 뒤에 그리워하는 정.

청산은 내 뜻이오 녹수¹⁾는 님의 정이²⁾
녹수 흘러간들 청산이야 변할손가
녹수도 청산 못 잊어 울어녀어³⁾ 가는고

주요 풀이 1) 푸른 물.
         2) 임의 정이로다.
         3) 계속 울면서. '녀다'는 어떤 동작의 계속을 나타내기도 함.

산은 옛 산이로되 물은 옛 물이 아니로다
주야에¹⁾ 흐르니 옛 물이 이실소냐²⁾
인걸도³⁾ 물과 같아야⁴⁾ 가고 아니 오난도다

주요 풀이 1) 밤낮으로.
         2) 있겠느냐.
         3) 뛰어난 사람도.
         4) 물과 같아서.

1501~1570년. 조선 시대의 학자·문신. 호는 퇴계. 23세 때 성균관에 입학하였으며, 식년 문과에 급제하여 벼슬을 지냈으나, 을사사화 때 관직을 박탈당하였다. 1552년 다시 벼슬에 임명되었으나 모두 사양하고 낙향하였다. 향리에 돌아와 도산서원을 창설하여 학문 연구와 후진 양성에 전념하였다. 이언적의 주리설을 계승, 주자의 이기이원론을 발전시켜 이기호발설 등 주리론적 사상을 형성함으로써 조선 후기 영남학파의 이론적 토대를 마련하였다. 이황의 학문과 사상에 대한 연구는 오늘날 '퇴계학'으로 이어지고 있으며, 국내외에서 많은 학자들이 퇴계학을 연구하고 있다. 저서로는 《퇴계전서》 등이 있다.

도산십이곡―전6곡

1

이런들 어떠하며 저런들 어떠하료¹⁾

초야 우생²⁾이 이렇다 어떠하료

하물며 천석고황³⁾을 고쳐 무엇하료

주요 풀이 1) 어떻겠는가.
2) 시골에 묻혀 사는 어리석은 사람.
3) '천석'은 샘물과 돌이니, 자연의 경치를 뜻한다. '고'는 심상, '황'은 심하를 가리키는 한방 용어로 이 곳에 병이 들면 침이나 뜸을 놓지 못하며, 약을 먹어도 소용이 없다. 따라서 산수를 사랑함이 지극하여, 마치 불치의 병에 걸린 것같이 되었음을 이르는 말이다.

2

연하1)로 집을 삼고 풍월2)로 벗을 삼아
태평성대3)에 병으로 늙어 가네
이 중에 바라는 일은 허물이나 없고저4)

🔍 주요 풀이 1) 안개와 노을. 한가로운 자연의 풍경.
　　　　　　2) 맑은 바람과 밝은 달. 자연의 아름다움을 가리키는 말로, '음풍
　　　　　　　영월'의 준말이다.
　　　　　　3) 어진 임금이 다스리는 태평한 시절.
　　　　　　4) 없게 하고 싶다.

3

순풍1)이 죽다 하니 진실로 거짓말이2)
인성3)이 어질다 하니 진실로 옳은 말이
천하에 허다4) 영재5)를 속여 말씀할까6)

🔍 주요 풀이 1) 예로부터 내려오는 순박한 풍속.
　　　　　　2) 거짓말이로다!
　　　　　　3) 사람의 성품.
　　　　　　4) 많은.
　　　　　　5) 슬기로운 사람.
　　　　　　6) 속일 수 있겠느냐?

4

유란1)이 재곡하니2) 자연이 듣기 좋의3)
백운4)이 재산하니5) 자연이 보기 좋의
이 중에 피미일인6)을 더욱 잊지 못하얘7)

🔍 주요 풀이   1) 그윽하고 아름다운 향기를 풍기는 난초꽃.
2) 산골짜기에 피었으니.
3) 듣기 좋구나!
4) 흰 구름. 불교에서 절의 큰방 윗목 벽에 써붙인 손님의 자리를 가리키는 말.
5) 산봉우리에 흩어져 있으니.
6) 저 아름다운 한 사람. 여기서는 임금을 가리킨다.
7) 못하겠구나!

5

산전1)에 유대2)하고 대하여 유수 ㅣ 로다3)
떼 많은 갈매기는 오명가명하거든4)
어떻다5) 교교백구6)는 멀리 마음 하는고7)

🔍 주요 풀이   1) 산 앞.
2) 높고 넓은 터. 여기서는 낚시터.
3) 물이 흐르고 있도다.
4) 오락가락하는데.
5) 감탄사로 '어째서 그럴까?' 라는 뜻.
6) 현인이나 성자가 타는 흰 망아지.
7) 마음을 두느냐?

6

춘풍에 화만산하고[1] 추야에 월만대라[2]
사시 가흥[3]이 사람과 한가지라
하물며 어약연비[4] 운영천광[5]이야 어내[6] 그지있으리[7]

주요 풀이   1)꽃이 산에 가득 피어 있고.
2)누대에 달빛이 가득하구나.
3)아름다운 흥취.
4)물에서 뛰노는 고기와 하늘을 나는 소리개.
5)구름의 그림자와 밝은 햇빛.
6)어찌.
7)끝이 있으랴?

후6곡

7

천운대[1] 돌아들어 완락제[2] 소사한데[3]
만권 생애[4]로 낙사ㅣ[5] 무궁하여라
이 중에 왕래 풍류[6]를 일러 무엇할꼬

주요 풀이   1)도산서원 근처에 있는 경치 좋은 곳.
2)퇴계가 학술 연구를 하던 도산서원의 서재.
3)깨끗하고 말쑥하니.
4)만 권이나 되는 서적을 쌓아 두고, 그것을 읽고 연구하는

데 평생을 바치는 일.
5) 즐거운 일이.
6) 산책하는 재미.

8

뇌정1)이 파산하여도2) 농자3)는 못 듣나니
백일4)이 중천하여도 고자5)는 못 보나니
우리는 이목총명6) 남자로 농고7)같이 마로리8)

주요 풀이 1) 우레. 천둥.
2) 산을 무너뜨려도.
3) 귀머거리.
4) 밝은 해.
5) 눈먼 사람. 소경.
6) 눈도 밝고 귀도 밝음.
7) 귀머거리와 소경.
8) 말리라. 하지 않으리라.

9

고인1)도 날 못 보고 나도 고인 못 뵈2)
고인을 못 봐도 예던 길3) 앞에 있네
예던 길 앞에 있거든 아니 예고 어쩔꼬4)

주요 풀이 1) 옛적에 훌륭했던 성현들.
2) 못 보네.
3) 고인이 가던 학문의 길.

4)아니 가고 어찌할 것인고.

10

당시1)에 예던 길을 몇 해를 버려 두고
어디가 다니다가 이제야 돌아온고
이제야 돌아오나니 년듸 마음 마로리2)

🔍 주요 풀이   1)바로 그 때. 그 즈음.
              2)다른 마음 먹지 않으리.

11

청산은 어찌하여 만고1)에 푸르르며
유수는 어찌하여 주야에 긋지 아니는고2)
우리도 그치지 말아 만고상청3) 하리라

🔍 주요 풀이   1)오랜 세월.
              2)그치지 아니 하는고.
              3)오랜 세월을 두고 항상 푸름.

12

우부1)도 알며 하거니 긔2) 아니 쉬운가
성인도 못다 하시니 긔 아니 어려운가
쉽거나 어렵거나 중에 늙은 줄을 몰래라

작품 해설 이 시조는 이황의 학문이 어떠한 믿음과 생각에서 비롯되었는가를 보여 주
는 작품이다. 초장과 중장에는 학문의 기본 성격인 보편성과 일반성을 실제의 경험에 비추어
말하고 있다. 또, 이 시조의 핵심인 종장에서는 쉽거나 어렵거나 늙어 가는 줄도 모르고 계속
하게 되는 것이 학문이라는 것을 얘기하고 있다.

기 대 승

1527~1572년. 조선 중기의 학자. 호는 고봉. 전라도 광주에서 태어났으며, 1558년 식년 문과에 급제한 뒤 공조참의·대사간 등을 역임하였다. 이황과 13년 간 편지를 주고받았는데, 그들의 사단 칠정에 관한 논쟁은 조선 유학의 발전에 커다란 영향을 끼쳤다. 저서로는 《고봉집》 등이 있다.

호화코[1] 부귀키야[2] 신릉군[3]만 할까마는

백 년이 못하여서 무덤 위에 밭을 가니

하물며 여남은[4] 장부[5]야 일러 무삼하리요[6]

🔍 주요 풀이   1) 호화롭고.
2) 부귀롭기로야.
3) 위나라 소왕의 아들로 식객 3천 명을 거느렸다고 한다.
4) 다른.
5) 장성한 남자.
6) 말하여 무엇하리요.

성수침

1493~1564년. 호는 청송. 학식과 덕망이 높았으나 벼슬길에 나가지 않고, 백악산 기슭에 '청송서실'을 짓고 읽으며 일생을 보냈다.

이리도[1] 태평성대 저리도[2] 성대태평

요지일월이요[3] 순지건곤이로다[4]

우리도 태평성대에 놀고 가려 하노라

주요 풀이 1) 여기도.
　　　　　2) 저기도.
　　　　　3) 요 임금이 다스리던 세월이요.
　　　　　4) 순 임금이 다스리던 세상이로다.

양 응 정

?~? 호는 송천. 1552년 식년시에 뽑혀 벼슬이 대사성에 이르렀으며, 시문에 뛰어났다.

태평 천지간에 단표[1]를 둘러메고
두 소매 느리혀고[2] 우줄우줄하는 뜻은
인세에[3] 걸린 일 없으니 그를 좋아하노라

주요 풀이 1) 도시락과 표주박.
          2) 느직하게 끌고.
          3) 인간 세상에.

성 운

1497~1579년. 조선 초기의 학자. 호는 대곡. 중종 때 사마시에 급제하여 벼슬을 지냈으나, 을사사화가 일어나 친형이 변을 당하자 벼슬을 버리고 속리산에 은거하였다. 도학이 높았으며 시문에도 능하였다. 저서로는 《대곡집》 등이 있다.

전원1)에 봄이 드니 이 몸이 일이 하다2)

꽃나무는 뉘 옮기며 약밭3)은 언제 갈리4)

아이야 대 베어 오너라 사립5) 먼저 결으리라6)

🔍 주요 풀이　1) 논밭과 동산. 시골.
　　　　　　　2) 많다.
　　　　　　　3) 약초를 심어 놓은 밭.
　　　　　　　4) 갈겠는가.
　　　　　　　5) 도롱이와 삿갓.
　　　　　　　6) 엮어 짜리라.

강 익

1523~1578년. 조선 시대의 학자. 호는 개암. 1556년 유생 33인의 선두에 서서 정여창의 억울함을 풀어 달라고 상소하였다. 그 뒤 후진 양성에 힘쓰다가 소격서 참봉이 되었다.

시비[1]에 개짖는다 이 산촌에 그 뉘 오리

댓잎 푸른데 봄새 울소리[2]로다

아희야 날 추심[3] 오나든 채미[4]갔다 하여라

주요 풀이 1)사립문.
          2)우짖는 소리.
          3)찾아옴.
          4)고사리를 캠.

지란[1]을 가꾸려 하여 호미를 둘러 메고

전원을 돌아보니 반이나마 형극[2]이다

아희야 이 기음 못다 매어 해 저물까 하노라

주요 풀이 1)영지버섯과 난초.
          2)가시덤불.

1536~1584년. 조선 시대의 문신·학자. 호는 율곡. 어머니 신사임당으로부터 글을 배워 13세에 진사 초시에 합격하였다. 16세에 어머니를 여의고, 19세에 금강산에 들어가 불서를 연구하였다. 그 후 유학에 전념하여 1564년 식년 문과에 장원급제한 뒤 호조 좌랑·이조 판서 등을 역임하였다. 서경덕의 주기설을 발전시켜 기호학파를 세움으로써, 이황과 더불어 조선 시대 유학의 쌍벽을 이루었다. 또한 동서 붕당의 조정을 위해 노력하였고, 양병론을 주장하였으며, 향약·사창을 장려하는 등 정치, 경제, 국방에도 탁월한 해결책을 제시하였다. 저서로 《격몽요결》, 《성학집요》, 《중용토석》 등이 있다.

고산구곡

수장

고산구곡담1)을 사람이 모르더니
주모 복거하니2) 벗님네3) 다 오신다
어즈버4) 무이를 상상하고 학주자를 하리라5)

주요 풀이 1) 주자학의 시조인 주희가 복건성 무이산에 있는 구곡계의 아름다운 풍경을 읊은 구곡가.
2) 띠풀을 베고 집터를 잡아 살아가니.
3) 친구분들.
4) 아!
5) 주희가 주창한 성리학을 공부하리라.

1

일곡은 어디메요1) 관암2)에 해 비친다

평무3)에 내 거두니4) 원산5)이 그림이라

송간6)에 녹준7)을 놓고 벗 오는 양 보노라

🔍 주요 풀이 1) 어느 곳이오?
2) 갓머리처럼 우뚝 솟은 바위.
3) 잡초가 우거진 들.
4) 안개가 걷히니.
5) 멀리 보이는 산.
6) 소나무 숲 사이.
7) 푸른 술통.

2

이곡은 어디메요 화암1)에 춘만커다2)

벽파3)에 꽃을 띄워 야외로 보내노라

사람이 승지4)를 모르니 알게 한들 어떠하리

🔍 주요 풀이 1) 꽃이 피어 있는 바위.
2) 늦봄이로구나!
3) 푸른 물결.
4) 명승지의 준말로, 경치 좋기로 이름난 곳.

3

삼곡은 어디메요 취병1)에 잎 퍼졌다

녹수2)에 춘조3)는 항상 기음하는데4)

반송5)이 바람을 받으니 여름경6)이 없세라

주요 풀이　1)푸른 병풍같이 나무나 풀로 덮인 절벽.
　　　　　　　2)푸른 나무.
　　　　　　　3)꾀꼬리·종달새 따위의 새.
　　　　　　　4)위아래서 우짖는데.
　　　　　　　5)키가 작고 가지가 옆으로 퍼진 소나무.
　　　　　　　6)여름다운 경치.

4

사곡은 어디메요 송애1)에 해 넘는다
담심2) 암영3)은 온갖 빛이 잠겼세라
임천4)이 깊도록 좋으니 흥을 겨워 하노라5)

주요 풀이　1)소나무가 보이는 낭떠러지.
　　　　　　　2)못처럼 물이 고인 한가운데.
　　　　　　　3)물에 비친 바위 그림자.
　　　　　　　4)수풀 속의 샘물. 벼슬에서 물러나 산골에서 살고 있는 작가의 거
　　　　　　　　처를 가리킨다.
　　　　　　　5)이기지 못하는 듯하구나!

5

오곡은 어디메요 은병1)이 보기 좋이
수변2) 정사3)는 소쇄함4)도 가이없다5)
이 중에 강학6)도 하려니와 영월음풍7) 하오리라

주요 풀이　1)굽이진 곳에 있어서 눈에 띄지 않는 절벽.
　　　　　　　2)물가의.

3) 글을 가르치는 집.
4) 맑고 깨끗하여 속되지 않음.
5) 그지없다.
6) 학문 강의.
7) 시를 짓고 읊으며 흥겹게 노는 것.

6

육곡은 어디메요 조협1)에 물이 넓다
나와 고기와 뉘야2) 더욱 즐기는고
황혼3)에 낚대를 메고 대월귀4)를 하노라

주요 풀이   1) 낚시질하기에 좋은 골짜기.
2) 누가. '야'는 강조의 표현.
3) 저물어 어둑어둑할 때.
4) 달빛을 띠고 돌아감.

7

칠곡은 어디메요 풍암1)에 추색2) 좋다
청상3)이 엷게 치니 절벽이 금수4) ㅣ로다
한암5)에 혼자 앉아 집을 잊고 있노라

주요 풀이   1) 단풍으로 뒤덮인 바위.
2) 가을빛이.
3) 깨끗한 서리.
4) 비단에 수를 놓은 듯이 아름다움.
5) 바람맞이에 있는 바위.

8

팔곡은 어디메요 금탄1)에 달이 밝다
옥진금휘2)로 수삼 곡3)을 노래하니
곡조를 알 수 없으니 혼자 즐겨 하노라

주요 풀이 1) 가야금을 타듯 물 흐르는 소리가 흥겹게 들리는 여울.
2) '진'은 거문고의 줄을 늦췄다 죄었다 하는 말뚝못을 가리키며,
'휘'는 거문고 앞쪽에 박아 놓은 열세 개의 자재 조각을 말한다.
즉, 옥으로 만든 진과 금박을 박은 휘로서, 아주 값지고 좋은 거
문고를 뜻함.
3) 서너 곡조.

9

구곡은 어디메요 문산(文山)1)에 세모커다2)
기암괴석이 눈 속에 묻혔세라
유인3)은 오지 아니하고 볼 것 없다 하더라

주요 풀이 1) 기암괴석이 어우러져 아름다운 곳.
2) 섣달이 되었구나! 여기서는 '겨울이 깊었다'는 뜻.
3) 놀러 다니는 사람.

작품 해설 율곡 이이가 벼슬에서 물러나 황해도 해주 석담에 들어가 후진을 양성하던
때에 주자의 〈무구곡〉을 본 떠 지은 시조이다. 수장 1연과 본문 9수로 구성되어 있으며, 고산
의 아름다운 경치를 계절별, 장소별로 나누어 노래하였다. 특히 마지막 연에서는 해지는 문

산을 노래하고, 세모를 인용함으로써 연시조의 막을 내리고 있다.

정 철

1536~1593년. 조선 중기의 문신. 호는 송강. 시조와 가사문학의 대가. 서인의 대표적 인불로, 동인과의 대립으로 여러 차례 관직에서 물러나기도 하였다. 을사사화가 일어나 부친이 남쪽 지방으로 귀양가자 그 곳의 송순·김인후·기대승 등에게서 글을 배웠고, 자라서는 이이·성혼 등과 친하게 지냈다. 벼슬은 좌의정까지 올랐으나 파벌 싸움이 심해 큰 공을 세우지는 못하였다. 가사문학의 대가로서 윤선도와 더불어 우리 나라 시가 사상 쌍벽으로 일컬어진다. 저서로는 《송강집》, 《송강가사》 등이 있다.

쓴 나물 데온1) 물이 고기도곤2) 맛이 이세3)
초옥 좁은 줄이4) 긔 더욱 내 분5)이라
다만당6) 님 그린 탓으로 시름 겨워 하노라

주요 풀이 1) 데운.
          2) 고기보다.
          3) 있네.
          4) 띠집 좁은 것이.
          5) 분수.
          6) 다만.

이 몸 힐어 내어 냇물에 띄우고저
이 물이 울어녀어1) 한강 여흘2)되다 하면
그제야 님 그린 내 병이 혈할 법도3) 있나니

주요 풀이 1) 울면서 흘러가.
          2) 여울.
          3) 나을 법도. 고쳐질 법도.

이 시를 풀어 보면 다음과 같다. '이 내 몸을 산의 흙을 헐어 내듯 헐어서 냇물에 띄워 버리고 싶구나. 이 물이 울면서 흘러내리다 다행히 한강의 여울물이 되어지면, 그때쯤에야 임 그리는 나의 병이 나을 법도 하다'.

임금을 그리워하며, 날로 심해지는 당쟁에 나라를 걱정하는 작가의 마음이 잘 나타나 있다.

대1) 우혜2) 심근3) 늬티4) 몇 해나 자랐는고.
씨 지어5) 난 회초리 저같이 늙도록에
그제야 또 한 잔 잡아 다시 헌수하리라6)

주요 풀이 1) 언덕.
2) 위에.
3) 심은.
4) 느티나무.
5) 씨 뿌려.
6) 장수를 비는 술잔을 올리리라.

재너머1) 성 권농2) 집에 술 익닷 말3) 어제 듣고
누운 소 발로 박차 언치4) 놓아 지즐타고5)
아희야 네 권농 계시냐 정 좌수6) 왔다 하여라

주요 풀이 1) 고개 너머.
2) 우계 성혼을 가리킨다. '권농'은 지방의 방이나 면에 소속되어 농사를 장려하던 직책, 또는 그 직책에 있던 사람.
3) 술 익었다고 하는 얘기.
4) 안장 밑에 까는 물건.
5) 눌러타고.
6) 이 시조를 지은 정철 자신을 말한다. '좌수'는 향청의 우두머리를 가리킴.

훈민가

아버님 날 낳으시고 어머님 날 기르시니
두 분 곧 아니시면 이 몸이 살았을까
하늘 같은 가없는1) 은덕을 어데2) 다혀3) 갚사오리

주요 풀이 1) 끝없는.
        2) 어떻게.
        3) 다해서.

어버이 살아신 제1) 섬길 일란2) 다하여라
지나간 후ㅣ면3) 애닯다4) 어찌하리
평생에 고쳐 못할 일이 이뿐인가 하노라

주요 풀이 1) 살아 계실 적에.
        2) 섬겨야 할 일이라면.
        3) 돌아가신 다음이면.
        4) 슬프다 한들.

어와 저 조카야 밥 없이 어찌할고
어와 저 아자바1) 옷 없이 어찌할고
머흔2) 일 다 일러사라3) 돌보고저 하노라

주요 풀이 1) 아재비야. 아저씨야.
        2) 궂은.
        3) 말하려무나.

이고 진1) 저 늙은이 짐 풀어 나를 주오
나는 점었거니2) 돌이라 무거울까
늙기도 설웨라커든3) 짐을조차4) 지실까

주요 풀이   1) 머리에 이고 등에 짊어진.
              2) 젊었으니.
              3) 서럽다 하겠거늘.
              4) 짐까지. 짐마저.

네 아들 효경1) 읽더니 어도록2) 배웠나니
내 아들 소학3)은 모레면 마칠로다
어느제 이 두 글 배워 어질거든 보려뇨4)

주요 풀이   1) 유교 경전의 하나. 공자와 증자가 효도에 대하여 논하는 것을 제
                 자들이 기록한 책.
              2) 어떻게.
              3) 중국 송나라 때 유자징이 주자의 지도를 받아 편찬한 초학자용의
                 교양서.
              4) 어진 사람이 되거든, 그 어진 모습을 보게 되겠는가?

오늘도 다 새거다1) 호미 메오2) 가자스라3)
내 논 다 매여든4) 네 논 좀 매어 주마
올 길에 뽕 따다가 누에 먹여 보자스라5)

주요 풀이   1) 새었구나.
              2) 호미를 메고.
              3) 가자꾸나!
              4) 매거든.

5) 보자꾸나!

내 마음 베어 내어 저 달을 만들고자
구만리 장천1)에 번듯이2) 걸려 있어
고운 님3) 계신 곳에 가 비추어나 보리라

주요 풀이 1) 머나먼 푸른 하늘.
          2) 번듯하게.
          3) 여기서는 임금을 가리킨다.

내 말 고쳐 들어 너 없으면 못 살려니
머흔1) 일 궂은 일 널로 하여 다 잊었거든
이제야 남 괴려2)하여 옛 벗 말고 어쩌리

주요 풀이 1) 험한.
          2) 사랑하려.

무슨 일 이루리라 십년지이1) 너를 좇아
내 한 일 없어서 외다2) 마다3) 하나니
이제야 절교편 지어 전송하대 어떠리

주요 풀이 1) 10년 동안, 또는 10년 동안 사귄 벗.
          2) 그르다.
          3) 싫다. 거절하다.

서 익

1542~1587년. 호는 만죽헌. 1569년 별시 문과에 급제하여 종부시첨정으로 순문관이 되어 북방에 파견되었다. 1585년 의주 목사를 역임하였다. 저서로 《만죽헌집》이 있다.

녹초 청강상[1]에 굴레 벗은 말이 되어
때때로 머리 들어 북향하여[2] 우는 뜻은
석양이 재 넘어가매 임자 그려 우노라

주요 풀이 1)푸른 풀이 우거진 비 갠 강가.
          2)임금 계신 곳을 향하여.

이 뫼[1]를 헐어내어 저 바다를 메우면은
봉래산[2] 고운님[3]을 걸어가도 보련마는
이 몸이 정위조[4] 같아여 바자닐만[5] 하노라

주요 풀이 1)산.
          2)동해 바다 가운데 있다는 신선들이 사는 산. 여기서는 임금이 계
            신 곳을 일컫는다.
          3)임금을 가리킴.
          4)중국 전설 속의 새로, 항상 나무와 돌을 물어다가 동녘 바다를
            메운다고 한다.
          5)바장이기만. 부질없이 짧은 거리를 오락가락 거닐기만.

임 제

1549~1587년. 호는 백호. 1577년 알성 문과에 급제하여 예조 정랑을 지내다가 분당의 파쟁을 개탄하고 사임했다, 명산을 찾아 유람하면서, 속리산에 들어가 성운에게 학문을 배웠다. 이이·허봉·양사언 등과 사귀면서 당대의 명문장가로 명성을 얻었다. 호방 쾌활한 시풍을 지녔으며, 의인체 소설로 〈원생몽유록〉 등을 지었고, 시조 3수가 전한다.

청초 우거진 골에 자는다[1] 누웠는다[2]

홍안을 어디 두고 백골만 묻혔나니[3]

잔 잡아 권할 이 없으니 그를 슬혀하노라[4]

주요 풀이   1) 자는가.
           2) 누웠는가.
           3) 묻혔느냐.
           4) 슬퍼하노라.

이 덕 형

1561~1613년. 조선 중기의 문신. 호는 죽창. 별시에 급제하여 여러 관직을 거쳐, 1602년 영의정이 되었다. 광해군 때 영창 대군의 처형과 폐모론을 반대하다가 벼슬에서 쫓겨났다. 경기도 양근에 내려가 은거하다 생을 마쳤다. 저서로는 《죽창한화》, 《송도기이》 등이 있다.

큰 잔에 가득 부어 취토록¹⁾ 먹으면서
만고 영웅²⁾을 손꼽아 헤어 보니³⁾
아마도 유령 이백⁴⁾이 내 벗인가 하노라

● 주요 풀이　1) 취하도록.
　　　　　　2) 영원토록 그 이름이 빛날 영웅.
　　　　　　3) 세어 보니.
　　　　　　4) 이태백. 당나라 현종 때의 시인. 채석강에서 뱃놀이를 하다 술에
　　　　　　　취한 나머지, 물에 비친 달을 잡으려다 빠져 죽었다고 한다.

달이 뚜렷하여 벽공¹⁾에 걸렸으니
만고 풍상²⁾에 떨어짐즉 하다마는
지금이 취객을 위하여 장조 금준³⁾ 하노매

● 주요 풀이　1) 푸른 하늘.
　　　　　　2) 오랜 세월 동안의 비바람과 서리.
　　　　　　3) 달이 오랫동안 아름다운 술잔, 또는 술통을 비춤.

이 항 복

1556~1618년. 조선 시대의 문신. 호는 백사. 1580년 알성 문과에 급제한 뒤 승문원 부정자 · 좌의정 · 영의정을 지냈다. 광해군의 폐모론에 반대하다가 북청으로 유배되어 그 곳에서 죽었다. 저서로는 《백사집》 등이 있다.

철령1) 높은 봉에 쉬어 넘난 저 구름아
고신 원루2)를 비삼아 띄어다가
님 계신 구중심처3)에 뿌려 본들 어떠리

주요 풀이　1) 강원도 회양에서 함경도 안변으로 넘어가는 재.
　　　　　　2) 임금의 사랑이나 신임을 얻지 못하는 신하의 억울한 눈물.
　　　　　　3) 문이 겹겹이 달린 깊은 대궐. 구중궁궐.

권호문

1532~1587년. 호는 송암. 퇴계 이황의 문하에서 학문을 배웠다. 1561년에 진사에 급제했으나 벼슬에 나아가지 않고, 청산성에서 은둔하며 후진 양성으로 여생을 보냈다. 저서에 《송암집》이 있고, 《한거십팔곡》 등의 시조를 남겼다.

날이 저물거늘 나외야[1] 할 일 없어
송관[2]을 닫고 월하에 누웠으니
세상에 티끌 마음이 일호말도[3] 없다

주요 풀이　1) 다시.
　　　　　 2) 소나무 가지로 결은 문, 빗장.
　　　　　 3) 조금도.

계교[1] 이렇더니 공명[2]이 늦었세라
부급동서하여[3] 여공불급하는[4] 뜻을
세월이 물 흐르듯 하니 못 이룰까 하여라

주요 풀이　1) 비교하여 서로 견주어 봄.
　　　　　 2) 공을 세워 널리 알려진 이름. 벼슬길에 오름을 뜻함.
　　　　　 3) 책 상자를 지고 동으로 서로 스승을 찾아가서.
　　　　　 4) 분부대로 실행하지 못할까 하여 마음을 졸이는.

1543~1605년. 호는 석봉. 서예가. 1567년 진사시에 합격하여 여러 벼슬을 지냈다. 서예가 한석봉으로 더 잘 알려져 있으며, 〈석봉필법〉, 〈석봉천사〉 등의 필적이 있다.

짚 방석 내지 마라 낙엽엔들 못 앉으랴
솔불 혀지¹⁾ 마라 어제 진 달 돋아 온다
아해야 박주 산채²⁾일망정 없다 말고 내어라

주요 풀이   1) 켜지.
           2) 막걸리와 산나물.

1533~1612년. 광해군의 장인으로 태릉 참봉을 거쳐 형조 참판을 지냈다.

추산이 석양을 띠고 강심1)에 잠겼는데
일간죽2) 둘러메고 소정3)에 앉았으니
천공4)이 한가이 여겨 달을 좇아 보내도다

주요 풀이   1)강 속.
            2)한 개의 낚싯대.
            3)조그마한 배.
            4)하느님.

조 헌

1544~1592년. 조선 시대의 문신·의병장. 호는 중봉. 이이와 성혼에게서 글을 배웠으며, 1567년 식년 문과에 급제하였다. 임진왜란이 발발하자 옥천에서 의병을 일으켜 왜군을 무찔렀으나, 금산 전투에서 분전하다가 전사하였다. 저서로는 《중봉집》, 《중봉동환봉사》 등이 있다.

지당1)에 비 뿌리고 양류2)에 내3) 끼인 제

사공은 어디 가고 빈 배만 매였난고

석양에 짝 잃은 갈매기는 오락가락하노매4)

주요 풀이   1) 연못.
         2) 수양버들.
         3) 안개.
         4) 오락가락하는구나.

소 춘 풍

?~? 성종 때의 영흥부 명기.

당우1)를 어제 본 듯 한당송2) 오늘 본 듯
통고금3) 달사리하는4) 명철사5)를 어떻다고
저 설 데6) 역력히 모르는 무부를 어이 좇으리7)

주요 풀이 1) 중국의 도당씨와 유우씨를 함께 이르는 말로, 덕으로 백성들을
　　　　　　다스리던 요순 시대를 일컫는 말.
　　　　　2) 중국 고대의 나라들로, 중국 문화의 바탕이 이루어진 시대.
　　　　　3) 과거와 현재를 통하여.
　　　　　4) 사물의 이치를 통달하는.
　　　　　5) 총명하여 사리에 밝은 선비.
　　　　　6) 자기의 처지.
　　　　　7) 어떻게 따를 수 있으랴.

?~? 조선 중종 때 전라도 부안의 기생으로, 본명은 이향. 시인. 부안 서림공원 안에는 그를 기리는 매창시비가 세워져 있다.

이화우[1] 흩뿌릴 제 울며 잡고 이별한 님

추풍 낙엽[2]에 저도 날 생각는가

천 리에 외로운 꿈만 오락가락 하노매[3]

주요 풀이 1) 하얀 배꽃이 흩날리며 떨어지는 풍경이 마치 비가 내리는 것 같
다는 표현으로, 봄을 가리킨다.
2) 가을 바람에 나뭇잎이 떨어짐.
3) 하는구나!

작품 해설 이 시는 황진이와 겨룰 만큼 뛰어난 시인이었던 기생 이매창의 작품이다. 기생이면서도 돈의 유혹이나 권력에 굴하지 않았던 매창은, 임진왜란 때 의병장으로 활약한 유희경과 사랑하는 사이였다. 싸움터에 나간 유희경을 그리워하는 안타까운 심정을 이 시에 담아 표현하고 있다.

매 화

?~? 평양 기생. 애틋한 사랑을 노래한 시조 6수가 전해진다.

매화 옛 등걸1)에 봄철이 돌아오니
옛 피던 가지에 피엄즉2)도 하다마난
춘설3)이 난분분하니4) 필동말동5) 하여라

주요 풀이　1) 줄기를 잘라 낸 나무 밑동.
　　　　　2) 피어날 만도.
　　　　　3) 봄철에 내리는 눈.
　　　　　4) 어지럽게 흩날리니.
　　　　　5) 꽃이 필지 말지.

명옥

?~? 경기도 화성의 기생.

꿈에 뵈는 님이 신의[1] 없다 하건마는
탐탐이[2] 그리울 제 꿈 아니면 어이보리
저 님아 꿈이라 말고 자로자로[3] 뵈시소

🔍 주요 풀이　1) 믿음과 의리.
　　　　　　　2) 알뜰살뜰히.
　　　　　　　3) 자주자주.

송 이

?~? 기생.

솔이 솔이라 하니 무슨 솔만 여기는다[1]

천심절벽[2]에 낙락장송 내 긔로다[3]

길 아래 초동[4]의 접낫[5]이야 걸어볼 줄 있으랴

🔍 주요 풀이   1) 소나무로만 여기는가?
　　　　　　 2) 천 길이나 되는 낭떠러지.
　　　　　　 3) 그것이로다.
　　　　　　 4) 나무하는 아이.
　　　　　　 5) 작은 낫.

천 금

?~? 기생.

산촌에 밤이 드니 먼뎃개 짖어운다
시비[1]를 열고 보니 하늘이 차고 달이로다
저 개야 공산 잠든 달을 짖어 무슴하리요[2]

🔍 주요 풀이　1) 사립문.
　　　　　　　2) 무엇하겠는가?

1553~1627년. 호는 정곡. 1590년 증광시에 급제하여 검열이 되었다가, 서인의 탄핵을 입어 파면되었다. 임진왜란 때 복직되어 여러 벼슬을 지냈다. 1627년 정묘호란이 일어나자 호조 판서로 세자를 따라 전주에 갔다가 돌아와 병사하였다.

호아곡

1

아해야 도롱 삿갓 차롸[1] 동간[2]에 비지거다[3]
기나긴 낚대에 미늘[4] 없은 낚시 매어
저 고기 놀라지 마라 내 흥 겨워 하노라

주요 풀이　1)차려라.
　　　　　2)동쪽 시냇물.
　　　　　3)비가 내렸다.
　　　　　4)낚시끝에 달린 작은 갈고리.

2

아해야 소 먹여 내어[1] 북곽에[2] 새 술 먹자
대취한 얼굴을 달빛에 실어오니
어즈버 희황 상인을[3] 오늘 다시 보와다

주요 풀이　1)내어 놓아라.
　　　　　2)북쪽 마을의.

3) 복희씨 때의 옛 사람.

3

아해야 구럭망태 어두1) 서산에 날 늦거다2)
밤 지면3) 고사리 하마4) 아니 늙으리야
이 몸이 푸새5) 아니면 조석6) 어이 지내려

주요 풀이 1) 거두어라.
2) 저물었으니.
3) 어두워지면.
4) 벌써.
5) 풋나물.
6) 아침 저녁.

4

아해야 죽조반1) 다오 남무에2) 일 많애라
서투른 따비를3) 늘4) 마주 잡으려는5)
두어라 성세궁경도6) 역군은이시니라7)

주요 풀이 1) 아침에 끓인 죽.
2) 남쪽 밭에.
3) 밭을 가는 쟁기.
4) 누구와.
5) 마주 잡고 갈 것인가?
6) 태평세월에 몸소 밭을 갈며 살아가는 것.
7) 또한 임금님의 은혜이니라.

김 장 생

1548~1631년. 호는 사계. 이이의 문하생으로 1578년 학행으로 천거된 뒤, 여러 벼슬을 두루 거쳤다. 그러나 1613년 계축옥사에 심문되었으나 무험의로 풀리자, 곧 사임하고 학문 연구에 전념했다. 1623년 인조반정으로 다시 벼슬에 나와 지내다가, 1627년 정묘호란 때 군량미 조달의 공을 세웠다. 저서에 《근사록석의》, 《가례집람》, 《상례비요》 등이 있다.

대 심어 울[1]을 삼고 솔 가꾸니[2] 정자이로다

백운[3] 덮인 데 날 있는 줄 제 뉘 알리

정반[4]에 학 배회하니 긔[5] 벗인가 하노라

주요 풀이   1) 울타리.
2) 가꾸니.
3) 흰 구름.
4) 뜰 가.
5) 그것이.

1569~1641년. 호는 동계. 1606년에 진사가 된 이래 여러 벼슬을 지냈으나, 계축옥사에 관련되어 10년 간 제주에서 귀양살이를 했다. 인조반정 후에 석방되어 헌납·사간을 지내고 이조 참의에 이르렀다. 병자호란 때 화의가 성립되자 비분하여 자결하려다가 덕유산에 들어가 5년 만에 죽었다.

책 덮고 창을 여니 강호1)에 배 떠 있다
왕래 백구2)는 무슨 뜻 먹었는고
앗구려3) 공명도 말고 너를 좇아 놀리라

주요 풀이 1) 강과 호수. 자연.
          2) 오고가는 흰 갈매기.
          3) 아서라.

이 안 눌

1571~1637년. 호는 동악. 1599년 정시에 올라 형조 · 호조 · 예조의 좌랑을 역임한 후, 벼슬을 두루 거쳐 판서 겸 흥문관 제학에 이르렀다.

천지[1]로 장막[2] 삼고 일월[3]로 등촉[4] 삼아

북해를 휘어다가 주준[5]에 대어 두고

남극에 노인성[6] 대하여 늙을 뉘[7]를 모르리라

주요 풀이
1) 하늘과 땅.
2) 포장.
3) 해와 달.
4) 촛불.
5) 술동이.
6) 사람의 수명을 맡았다는 남쪽 하늘의 별.
7) 세상.

윤 순

1680~1741년. 호는 백하 또는 학음. 1713년 증광시에 급제하여 이조 판서·평양 감사에 이르렀다. 서예가로도 유명하였다.

내 집이 백학산중[1] 날 찾을 이 뉘 있으리
입아실자이[2] 청풍이요 대아음자이[3] 명월이라
정반에 학 배회하니[4] 긔 벗인가 하노라

주요 풀이 1) 지은이의 호를 딴 '백하 산 속'의 잘못으로 봄.
2) 내 방에 들어오는 것은.
3) 나와 함께 술을 마시는 것은.
4) 들 가에 학이 왔다갔다 하니.

송계연월옹

?~? 시조집 《고금가곡》의 편자.

마천령1) 올라 앉아 동해를 굽어보니
물 밖에 구름이요 구름 밖에 하늘이라
아마도 평생 장관2)은 이것인가 하노라

주요 풀이   1)함경도 단천에 있는 높은 재.
          2)한평생을 두고 볼 만한 경치.

권 필

?~1612년. 조선 시대의 문인. 호는 석주. 송강 정철을 스승으로 삼아 글을 배웠다. 광해군비의 친척들의 방자한 행동이 계속되자, 궁류시를 지어 풍자한 것이 화근이 되어 유배되었다.

이 몸이 되올진대 무엇이 될꼬 하니
곤륜산1) 상상두2)에 낙락장송 되었다가
군산3)에 설만하거든4) 혼자 우뚝 하리라

주요 풀이   1) 중국에서 가장 높은 산이며, 아름다운 옥이 난다고 전해진다.
2) 가장 높은 산머리.
3) 여러 산.
4) 눈이 가득 쌓이거든.

이 순 신

1545~1598년. 조선 시대의 명장. 시호는 충무. 1576년 식년 무과에 급제한 뒤 전라좌도 수군 절도사로 승진하였다. 임진왜란이 일어나자 거북선을 만들어 투철한 애국심과 뛰어난 전략으로 한산도 등에서 왜군을 크게 무찔렀다. 정유재란 때 삼도 수군 통제사가 되어 명량해전·노량해전에서 왜군을 격파하다가 전사하였다. 저서로는 《이충무공전서》가 있다.

한산섬1) 달 밝은 밤에 수루2)에 혼자 앉아
큰 칼 옆에 차고 깊은 시름 하는 적에
어디서 일성호가3)는 나의 애4)를 끊나니5)

🔍 주요 풀이　1) 한산도.
　　　　　　2) 적군의 동정을 살피기 위하여 지었던 누각.
　　　　　　3) 한 곡조의 피리 소리.
　　　　　　4) 창자.
　　　　　　5) 끊느냐?

십 년 가온1) 칼이 갑리2)에 우노매라3)
관산4)을 바라보며 때때로 만져 보니
장부의 위국 공훈5)을 어느 때에 드리올고

🔍 주요 풀이　1) 갈아 온.
　　　　　　2) 칼집.
　　　　　　3) 울고 있구나.
　　　　　　4) 국경 지대에 있는 산. 관문.
　　　　　　5) 나라를 위해 세운 큰 공.

김 덕 령

1567~1596년. 임진왜란 때의 의병장. 시호는 충장. 어려서부터 글을 배우다가 성혼의 문하에 들어가서 수학하였다. 임진왜란이 난 다음 해인 1593년, 담양에서 의병을 일으켜 용맹을 크게 떨쳤다. 1595년 이몽학의 난 때 적장과 내통한다는 적의 책략으로 투옥되어 나이 30에 옥사했으나, 영조 때 그 억울함이 밝혀져 병조 판서에 추증되었다.

춘산[1]에 불이 나니 못다 핀 꽃 다 붙는다
이 뫼 저 불은 끌 물이나 있거니와
이 몸에 내[2] 없는 불이 아니 끌 물 없어 하노라

주요 풀이 1) 봄 산
        2) 연기

작품 해설   이 시조에서 초장의 춘산에 붙은 불은 왜구의 침략을 말하며, 못다 핀 꽃은 왜구의 침략으로 희생된 아리따운 청춘을 이른다. 왜구의 침략은 의병을 일으켜 물리칠 수라도 있지만 억울함을 당해 투옥된 자신은 어찌해 볼 수 없음을 한탄한다.

1566~1628년. 조선 중기의 문신·문장가. 호는 상촌. 병조 판서·대제학을 지냈으나 계축옥사 때 파직되었다. 인조반정 이후에 이조 판서·우의정·좌의정·영의정에 올랐다. 이정구·장유·이식과 함께 조선 중기 한문 4대가의 한 사람으로 꼽힌다. 저서로는 《상촌집》 등이 전한다.

산촌[1]에 눈이 오니 돌길이 묻혔세라[2]
시비를 열지 마라 날 찾을 이 뉘 있으리
밤중만 일편명월[3]이 그 벗인가 하노라

주요 풀이   1) 산속의 마을.
          2) 묻혔구나!
          3) 한 조각의 밝은 달.

냇가에 해오라바 무슨 일 서 있는다[1]
무심한[2] 저 고기를 여어[3] 무엇 하려는다
아마도 한 물[4]에 있거니 잊었은들 어떠리

주요 풀이   1) 서 있느냐.
          2) 아무 생각이 없는.
          3) 엿보아.
          4) 같은 물.

술 먹고 노는 일을 나도 왼[1] 줄 알건마는
신릉군[2] 무덤 위에 밭 가는 줄 못 보신가
백 년이 역초초하니[3] 아니 놀고 어찌하리

1) '외다'는 '그르다'의 뜻. 그른 줄.
2) 중국 위나라 때의 사람으로 호화롭게 살다가 술병으로 죽었다.
3) 역시 보잘것없으니.

이 정 귀

1564~1635년. 호는 월사. 1590년 증광시에 급제하고, 예조 판서 · 우의정을 거쳐 좌의정에 이르렀다. 저서로는 《월사집》, 《대학강화》 등이 전한다.

님을 믿을 것가[1] 못 믿을 손[2] 님이시라

미더운 시절도 못 믿을 줄 알았어라[3]

믿기야 어려워마는[4] 아니 믿고 어이리

🔍 주요 풀이   1) 것인가.
　　　　　　　2) 것은.
　　　　　　　3) 알았도다.
　　　　　　　4) 어렵건마는.

장 만

1566~1629년. 호는 낙서. 1591년 별시 문과에 급제하여 성균관·승문원 벼슬을 거쳤다. 1601년 도승지, 1602년 주청사로 두 차례 명나라에 다녀왔다. 1607년 함경도 관찰사가 되고 〈호지산천도〉를 그려 나라에 바쳤다. 그 뒤 형조 판서·병조 판서 등의 관직을 지냈다. 저서로 《낙서집》이 있다.

풍파에 놀란 사공 배 팔아 말을 사니
구절양장1)이 물도곤2) 어려왜라3)
이 후란 배도 말도 말고4) 밭갈기만 하리라

주요 풀이   1) 꼬불꼬불 험한 산길.
　　　　　　2) 물보다.
　　　　　　3) 어렵구나.
　　　　　　4) 타지 않고.

정충신

1576~1636년. 호는 만운. 임진왜란 때 나이 17세로 권율 장군 휘하에 있었고, 이항복에게 글을 배웠다. 무과에 급제하여 1623년에 안주 목사가 되었으며, 이괄의 난 때 공을 세워 진무공신이 되고 금남군에 봉해졌다.

공산1)이 적막한데 슬피 우는 저 두견2)아

촉국 흥망3)이 어제 오늘 아니어늘

지금히4) 피나게 울어 남의 애를 끊나니

주요 풀이 1) 빈 산.
          2) 촉나라 망제의 죽은 넋이 되었다는 소쩍새.
          3) 촉나라의 흥하고 망함.
          4) 지금까지.

김상용

1561~1637년. 조선 시대의 문신. 호는 선원. 1590년 증광 문과에 급제한 뒤 여러 벼슬을 지냈다. 1623년 인조 반정으로 서인이 집권한 뒤 노론과 소론으로 나뉘자 노론의 우두머리가 되었다. 저서로는 《선원유고》 등이 있다.

사랑이 거짓말이 님 날 사랑 거짓말이
꿈에 와 뵌닷 말이[1] 긔 더욱 거짓말이
날같이[2] 잠 아니 오면 어느 꿈에 뵈오리

주요 풀이　1) 보인다고 하는 말이.
　　　　　2) 나처럼.

임 경 업

1594~1646년. 조선 중기의 명장. 호는 고송. 1618년 무과에 급제하였으며, 이괄의 난을 평정하는 데 큰 공을 세웠다. 청나라의 요청으로 어쩔 수 없이 명나라 공격에 참여하였으나, 끝까지 명나라와 친하고 청나라를 배척하는 태도를 버리지 않았다.

역발산 기개세1)는 초패왕2)의 버금3)이요
추상절4) 열일충5)은 오자서6)의 우이로다
천고에 늠름한 대장부는 한수정후7)인가 하노라

주요 풀이   1) 항우가 지은 시의 한 구절. 산을 뽑을 만한 힘과 세상을 뒤엎을
　　　　　　　만한 기상.
　　　　　　2) 중국 전국 시대의 영웅인 항우.
　　　　　　3) 다음 가는 차례.
　　　　　　4) 가을 서리처럼 엄정한 절개.
　　　　　　5) 뙤약볕처럼 강한 충성.
　　　　　　6) 중국 춘추 시대의 초나라 사람.
　　　　　　7) 관운장의 별칭.

박 인 로

1561~1642년. 조선 중기의 문인. 호는 노계. 도학과 자연애를 바탕으로 우국의 작품을 많이 썼다. 정절을 계승 발전시켜 가사 문학의 발전에 크게 기여하였다. 1598년 왜군이 퇴각하자, 병사들을 위로하기 위하여 가사 〈태평사〉를 지었다. 저서로는 《노계집》 등이 있다.

〈사친가〉의 일부

반중1) 조홍감2)이 고아도 보이나다3)
유자ㅣ4) 아니라도 품엄즉도 하다마난
품어 가 반길 이 없을새 글로5) 설워하나이다

주요 풀이   1) 쟁반 위에 놓인.
2) 붉은 감.
3) 곱게도 보인다.
4) 유자나무의 열매로, 노랗고 둥글며 신맛이 난다.
5) 그로 인하여.

작품 해설   이 시조는 작가가 이덕형에게 홍시를 대접받자 중국의 '육적회귤의 고사'를 떠올리고, 돌아가신 어머니를 그리워하며 지은 것이다. 풀이해 보면, 쟁반에 담긴 고운 홍시를 가슴에 품고 가서 어머니에게 대접했으면 좋으련만, 이제는 어머니가 안 계시니, 그것을 못내 서러워한다는 내용이다.

왕상1)이 이어2) 잡고 맹종3)이 죽순4) 꺾어

검던 머리 희도록 노래자5)의 옷을 입고

일생에 양지성효6)를 증자7)같이 하리이다

주요 풀이 1) 중국의 효자로, 계모를 위하여 겨울철에 잉어를 잡아 드린 일화
　　　　　 가 유명하다.
　　　　 2) 잉어.
　　　　 3) 겨울에 모친이 좋아하는 죽순을 캐다 드린 효자로 유명하다.
　　　　 4) 대나무의 어린 싹.
　　　　 5) 중국의 옛 효자. 나이 70이 되어서도 늙은 부모를 즐겁게 해 드
　　　　　 리려고 때때옷을 입고 어리광을 부렸다는 일화로 유명하다.
　　　　 6) 부모의 뜻을 떠받드는 정성스러운 효도.
　　　　 7) 공자의 제자로 효성이 지극했다 한다.

〈오륜가 부자유친〉 중의 제3장

부모 섬기기를 지성으로1) 섬기리라

계명에2) 관수하고3) 욱한을 묻자오며4)

날마다 시측봉양5)을 몰신불쇠6) 하오리라

주요 풀이 1) 정성으로.
　　　　 2) 새벽녘 닭이 울 때.
　　　　 3) 손을 씻고.
　　　　 4) 날씨가 덥고 추움에 따라 부모가 입으실 옷을 가려서 물어보며.
　　　　 5) 곁에 있으면서 어른을 모심.
　　　　 6) 끝까지 달라짐이 없이 희생적으로 봉양함.

〈오륜가 부자유친〉 중의 제4장

세상 사람들아 부모 은덕[1] 아나슨다[2]
부모곧[3] 아니면 이 몸이 있을소냐
생사 장제[4]에 예로써 종시[5] 같게 섬겨스라[6]

🔍 주요 풀이   1) 어버이가 자식한테 베푸는 은혜와 보살핌.
2) 아는가?
3) '곧'은 강조의 조사. 부모만.
4) 살아계시거나 돌아가셨거나, 또는 장사와 제사 지내는 일.
5) 처음부터 끝까지.
6) 섬기어라.

〈오륜가 군신유의〉 중의 제4장

심산[1]에 밤이 드니 북풍이 더욱 차다
옥루고처[2]에도 이 바람 부는 게오
긴 밤에 치우신가 북두[3] 비켜[4] 바래로라[5]

🔍 주요 풀이   1) 깊은 산중.
2) 아름다운 누각이 있는 곳, 즉 임금이 계신 궁궐을 뜻함.
3) 북두성.
4) 의지해서.
5) 바라보노라.

〈오륜가 부부유별〉 중의 제3장

부부를 중타 한들[1] 정만 중케 가질 것가[2]
예별없이[3] 거처하며 공경없이 좋을소냐
일생에 경대여빈[4]을 기결[5]같이 하오리다

주요 풀이 1) 중하다고 하더라도.
2) 정말 중하게 가질 것인가?
3) 부부유별이 없이.
4) 공경하여 대접하기를 손님처럼 한다는 뜻.
5) 중국 춘추 시대의 사람으로, 평소 부부유별을 생활로 실천하여
   벼슬을 얻었다 한다.

〈오륜가 형제유애〉 중의 제2장

쟁재[1]에 실성하여[2] 동기[3] 불목[4] 마라스라[5]
전지[6]와 노비는 값을 주면 사려니와
아무리 만금[7]인들 형제 살 데 있느냐

주요 풀이 1) 재산 싸움.
2) 제정신을 잃어.
3) 형제자매 간에.
4) 화목하지 못함.
5) 말아라.
6) 논밭.
7) 아주 많은 돈을 일컬음.

〈오륜가 형제유애〉 중의 제5장

우애1) 깊은 뜻이 표리없이2) 한 뜻 되어
이 중에 화형제3)를 우린가 여겼더니
어찌타4) 백수5) 척안6)이 혼자 울 줄 알리요

🔍 주요 풀이 1) 형제간이나 친구 사이의 두터운 정과 사랑.
　　　　　　 2) 안팎이 없이.
　　　　　　 3) 형제간의 화목.
　　　　　　 4) 어찌하여.
　　　　　　 5) 허옇게 센 머리의 늙은이.
　　　　　　 6) 외기러기.

〈오륜가 붕우유신〉 중의 제1장

벗을 사귈진댄 유신케1) 사귀리라
신없이 사귀며 공경2)없이 지낼소냐
일생에 구이경지3)를 시종없게4) 하오리라

🔍 주요 풀이 1) 신의가 있게.
　　　　　　 2) 몸가짐을 공손히 하고 존경함.
　　　　　　 3) 오래도록 벗을 공경함.
　　　　　　 4) 처음과 끝이 다르지 않게. 변함없이.

〈오륜가 붕우유신〉 중의 제2장

언충1) 행독2)하고 벗 사귀기 삼가오면3)

내 몸에 욕없고 외다 할 이⁴⁾ 적거니와

진실로 삼가지 못하면 욕급기친⁵⁾ 하오리라

주요 풀이   1) 언사가 성실함.

2) 행동이 독실함.

3) 조심하면.

4) 그르다고 말할 이.

5) 그 욕됨이 부모한테까지 미친다는 뜻.

〈오륜가 총론〉 중의 제1장

천지간¹⁾ 만물 중에 사람이 최귀하니²⁾

최귀한 바는 오륜³⁾이 아니온가

사람이 오륜을 모르면 불원금수⁴⁾ 하리라

주요 풀이   1) 하늘과 땅 사이.

2) 가장 귀하니.

3) 유교에서 이르는 다섯 가지의 인륜.

4) 금수에 가깝다.

〈입암가〉 22수 중 제3장

무정히¹⁾ 섰는 바위 유정하여²⁾ 보이나다³⁾

최령한⁴⁾ 오인⁵⁾도 직립불의⁶⁾ 어렵거늘

만고에 곧게 선 저 얼굴이 고칠 적이 없나다⁷⁾

주요 풀이   1) 아무런 뜻이 없이.

2) 정이 있어.
3) 보인다.
4) 가장 신령스러운.
5) 우리.
6) 곧게 서서 기대지 아니하기가.
7) 없구나!

동기로 세 몸 되어 한 몸같이 지내다가
두 아운 어디 가서 돌아올 줄 모르는고
날마다 석양 문외에[1] 한숨 겨워 하노라

🔍 주요 풀이   1) 석양에 문 밖에 서서.

효 종

1619~1659년. 조선 17대 왕. 호는 죽오. 인조의 둘째 아들로 봉림 대군에 봉해졌다. 병자호란 때 청나라에 8년 간 볼모로 잡혀 있던 원한을 풀기 위해 북벌 계획을 세웠으나, 뜻을 이루지 못하였다. 상평통보를 만들어 경제 정책을 획기적으로 바꾸었다.

청강1)에 비 듣는2) 소리 그 무엇이 우습관대

만산홍록3)이 휘들으며4) 웃는고야5)

두어라6) 춘풍이 몇 날이리 웃을 대로 웃어라

주요 풀이   1) 깨끗한 물이 흐르는 강.
2) 떨어지는.
3) 봄철 산을 뒤덮은 초목.
4) 흔들면서.
5) 웃는구나!
6) 시조 종장 첫 머리에 흔히 쓰이는 감탄사.

청석령1) 지나거냐 초하구2)는 어디메냐

호풍3)도 참도 찰사4) 궂은비는 무슨 일고

아무나 내 행색5) 그려 내어 님 계신 데 드리고저

주요 풀이   1) 만주 호녕성 동북쪽에 있는 고개 이름.
2) 만주에 있는 마을 이름.
3) 오랑캐 땅에서 부는 차디찬 바람.
4) 차기도 차구나.
5) 나그네의 차림새.

김광욱

1580~1656년. 조선 중기의 문신. 호는 죽소. 1606년 진사와 증광시에 급제한 뒤 형조 판서 · 좌찬찬 등을 역임하였다. 문예와 글씨에 능하였다. 저서로 《죽소집》이 있다.

추강1) 밝은 달에 일엽주2) 혼자 저어
낚대를 떨쳐 드니 잠든 백구ㅣ3) 다 놀란다
어디서 일성어적4)은 좇아 흥을 돕나니

주요 풀이　1) 가을철의 강물.
　　　　　2) 한 척의 조각배.
　　　　　3) 갈매기가.
　　　　　4) 어부의 피리 소리.

공명1)도 잊었노라 부귀도 잊었노라
세상 번우한 일2) 다 주어 잊었노라
내 몸을 내마저 잊으니 남이 아니 잊으랴

주요 풀이　1) 공을 세워 널리 알려진 이름.
　　　　　2) 번거롭고 시름겨운 일.

질가마1) 좋이2) 씻고 바회3) 아래 샘물 길어
팥죽 달게 쑤고 저러지4) 이끄어5) 내니
세상에 이 두 맛이야 남이 알까 하노라

주요 풀이　1) 흙으로 구워 만든 가마솥.
　　　　　2) 깨끗이.

3) 바위.
4) 소금에 절인 김치.
5) 이끌어.

이 완

1602~1674년. 호는 매죽헌. 1624년 무과에 급제하여 여러 벼슬을 지냈다. 1636년 병자호란 때 김자점의 휘하에서 별장으로 용전, 정방산성 전투에서 공을 세워 어영대장이 되었다. 효종 즉위년에 훈련대장이 되었고, 뒤에 수어사·포도대장·우의정에 올랐다.

군산1)을 삭평2)턴들 동정호3) 너를랐다4)
계수를 버히던들5) 달이 더욱 밝을 것을
뜻 두고 이루지 못하니 늙기 설워하노라

주요 풀이　　1) 중국 동정호 안에 있는 산.
　　　　　　2) 평탄하게 깎음.
　　　　　　3) 호남성에 있는 중국 제일의 호수.
　　　　　　4) 넓을 것이었도다.
　　　　　　5) 베었던들.

송 시 열

1607~1689년. 조선 후기의 문신·학자. 호는 우암. 17세기 중엽 이후 붕당 정치가 절정에 이르렀을 때, 서인을 이끌고 남인과 치열하게 논쟁을 벌였다. 그 뒤 노론의 거두로 활약하다가, 1689년 세자 책봉의 일로 숙종의 노염을 사 사약을 받았다. 이이의 학통을 계승하여 기호학파의 주류를 이루었으며, 일생을 주자학에 바친 거유였다. 저서로는 《주자대전차의》, 《논맹문의통교》, 《우암집》 등이 있다.

청산도 절로절로[1) 녹수[2)도 절로절로

산 절로 수 절로 산수간에 나도 절로

이 중에 절로 자란 몸이 늙기도 절로 하리라

주요 풀이   1) 스스로, 자연대로.
          2) 나무가 울창한 곳을 흐르는 맑은 물.

이 명 한

1595~1645년. 호는 백주. 월사 정귀의 아들로서 1616년 증광 문과에 급제하여 벼슬을 두루 시냈나. 1623년 인조반정 이후 경연시독관을 지냈으며, 이괄의 난 때에는 왕을 공주에 호송하고, 그 후 대사헌 · 도승지 · 대제학 · 이조 판서 · 예조 판서 등을 지냈다. 글씨에도 뛰어났으며, 시조 8수가 전한다.

꿈에 다니는 길이 자최 곧 나량이면[1]
님이 집 창 밖에 석로[2]이라도 닳으련마는
꿈길이 자최 없으니 그를 슬허하노라[3]

주요 풀이   1) 난다고 하면.
　　　　　　2) 돌길.
　　　　　　3) 슬퍼하노라.

반 남아[1] 늙어시니[2] 다시 점든[3] 못하여도
이후나 늙지 말고 매양 이만 하였고저[4]
백발아 네 짐작하야 더디[5] 늙게 하여라

주요 풀이   1) 반 넘어.
　　　　　　2) 늙었으니.
　　　　　　3) 젊지는.
　　　　　　4) 하였으면.
　　　　　　5) 천천히. 더디게.

김상헌

1570~1652년. 조선 시대의 문신. 호는 청음. 1608년 문과 중시에 급제한 뒤 여러 벼슬을 거쳤으나, 1636년 병자호란 때 척화론을 펴다가 파직되었다. 청나라의 출병 요구에 반대하다 청나라에 압송되어 6년 동안 잡혀 있었다. 글씨도 뛰어났으며, 저서로는 《청음전집》이 있다.

가노라 삼각산¹⁾아 다시 보자 한강수야

고국 산천²⁾을 떠나고자 하랴마는

시절이 하³⁾ 수상하니⁴⁾ 올동말동⁵⁾하여라

🔍 주요 풀이 1) 북한산.
　　　　　　　 2) 고국의 산과 내.
　　　　　　　 3) 하도.
　　　　　　　 4) 보통과 달라 이상하니.
　　　　　　　 5) 올지말지.

홍 서 봉

1572~1645년. 호는 학곡. 1590년 사마시에 급제하고, 교리 · 사성을 거쳐 1609년 중시에 뽑히어 당상관에 올랐다. 1623년 김유 등과 인조반정을 일으켜 정사 공신이 되고, 익령군에 봉해졌다.

이별하던 날에 피눈물이 난지 만지
압록강 내린 물이 푸른빛이 전혀 없네
배 우에[1] 허여센[2] 사공이 처음 보뢰[3] 하더라

주요 풀이 1) 위에.
         2) 머리가 허옇게 센.
         3) 보도다.

이 원 익

1547~1634년. 호는 오리. 태종의 5대손. 1569년 문과에 급제하여, 성절질정관으로 명나라에 다녀왔다. 1583년 승지에 등용되었으나, 당시 왕자 사부 하낙의 상소로 파직되었다. 1587년 재기용되어 그 뒤 호조·예조·이조 판서를 거쳐, 1598년에 영의정에 올랐다. 1601년에는 삼도 도체찰사가 되어 임진왜란 후의 복구 건설에 공을 세웠다. 가사 작품으로 〈고공답주인가〉를 남겼다.

녹양1)이 천만사인들2) 가는 춘풍 매어 두며
탐화 봉접3)인들 지는 꽃을 어이하리
아무리 근원이 중한들 가는 님을 어이리4)

주요 풀이　1) 푸른 버드나무.
　　　　　 2) 천만 개의 실오라기인들.
　　　　　 3) 꽃을 찾는 벌과 나비.
　　　　　 4) 어이하겠는가?

홍익한

1586~1637년. 호는 화포. 1624년 정시에 장원하여 사헌부 강령을 지냈다. 병자호란 때는 척화신으로 청나라에 잡혀갔다가, 끝내 굴복하지 않고 피살당한 3학사의 한 사람이다.

수양산[1] 나린 물이 이제[2]의 원루[3]이 되어

주야불식[4]하고 여울여울 우는 뜻은

지금에 위국 충성을 못내 슬퍼하노라

주요 풀이   1) 중국 산서성에 있는 산으로 백이 · 숙제가 굶어 죽은 곳.
2) 은나라 고죽군의 두 아들 백이와 숙제.
3) 원통한 눈물.
4) 낮과 밤으로 쉬지 않음.

작품 해설   고대 중국 은나라의 마지막 임금인 주가 포악하여, 무왕이 쿠데타로 주나라를 세울 무렵의 일이다. 백이와 숙제는 신하로서 군왕을 시역함은 천리를 거역하는 역리라 하여 이에 맞서 항거하다가, 수양산에 들어가 고사리를 캐어 먹으면서 연명하다가 죽었다고 한다. 청나라에 잡혀가 끝내 굴복하지 않고 피살당한 지은이가 여울물을 백이와 숙제의 눈물이라 여기며, 나라를 걱정하는 마음으로 이 시를 지었다.

안평대군

1622~1654년. 조선 16대 왕인 인조의 셋째 아들. 호는 송계. 1636년 병자호란 때 부왕을 남한산성에 호종하였으며, 1640년에는 청나라에 볼모로 가 있었다. 제자백가에 일가견이 있었으며, 서예와 글씨에도 능하였다.

세상 사람들이 입들만 성하여서[1]
제 허물 전혀 잊고 남의 흉 보는괴야[2]
남의 흉 보거라 말고[3] 제 허물을 고치고자

🥄주요 풀이　1)살아 있어서.
　　　　　　　2)남의 흉만 보는구나!
　　　　　　　3)보려고 하지 말고.

윤선도

1587~1671년. 조선 시대의 문신·시인. 호는 고산. 정철·박인로와 함께 조선 3대 시가인의 한 사람이다. 1616년 성균관 유생으로서, 권신·이이첨 일당의 횡포에 대항하여 상소를 올려 유배되었다가 인조반정 때 풀렸다. 그러나 치열한 당쟁으로 인해 일생을 거의 유배지에서 보냈다. 저서로는 《고산유고》가 있다.

〈오우가〉 중 서시

내 벗이 몇이나 하니 수석1)과 송죽2)이라
동산3)에 달이 오르니 긔 더욱 반갑고야4)
두어라 이 다섯 밖에 또 더 하여 무엇하리

주요 풀이 1) 물과 돌.
2) 소나무와 대나무.
3) 동쪽에 있는 산.
4) 반갑구나!

물

구름 빛이 좋다 하나 검기를 자로1) 한다
바람 소리 맑다 하나 그칠 적이 하노매라2)
좋고도3) 그칠 뉘4) 없기는 물뿐인가 하노라

주요 풀이 1) 자주.
2) 많구나!
3) 맑고도.
4) 그칠 때가.

석

꽃은 무슨 일로[1] 피면서 쉬이 지고[2]
풀은 어이하여[3] 푸르는 듯 누르나니[4]
아마도 변치 아닐손[5] 바위 뿐인가 하노라

🔍 주요 풀이 1) 무슨 까닭으로.
2) 피었다 금방 지고.
3) 어찌하여.
4) 누르느냐?
5) 아니하는 것은.

송

더우면 꽃 피고 추우면 잎 지거늘
솔아[1] 너는 어찌 눈서리를 모르는다[2]
구천[3]에 뿌리 곧은 줄을[4] 글로 하여[5] 아노라

🔍 주요 풀이 1) 소나무야.
2) 모르는가?
3) 아홉 겹으로 된 땅 속, 즉 죽어서 넋이 들어간다는 저승을 일컫
는 말.
4) 곧은 까닭을.
5) 그로 인하여.

죽

나무도 아닌 것이 풀도 아닌 것이
곧기는 뉘 시키며[1] 속은 어이[2] 비었는다[3]
저렇게 사시[4]에 푸르니 그를 좋아하노라

주요 풀이   1) 누가 그렇게 시켰으며.
2) 어찌.
3) 비었는가?
4) 봄 · 여름 · 가을 · 겨울의 네 계절.

월

작은 것이 높이 떠서 만물[1]을 다 비추니
밤중의 광명[2]이 너만한 이 또 있느냐
보고도 말 아니하니 내 벗인가 하노라

주요 풀이   1) 온갖 물건. 우주에 존재하는 모든 것.
2) 밝은 빛.

작품 해설   윤선도의 〈오우가〉는 그의 문학적 황금기라 할 수 있는 50대 후반, 고향인 해남에 은거할 때 지은 것이다. 그는 자기가 사랑하는 자연의 벗으로 물 · 돌 · 소나무 · 대나무 · 달의 다섯 가지를 들었다. 인간에 대한 덕성적 모범이나 규범을 자연 속에 설정하여 전체적인 주제를 드러내고 있다.

〈고금영〉

버렸던 가얏고1)를 줄 얹어 놀아 보니
청아한2) 옛 소리3) 반가이 나는고야
이 곡조 알 이 없으니 집 껴4) 놓아 두어라

🔍 주요 풀이　1) 가야금. 가야국의 우륵이 만들었다는 우리 나라 고유의 현악기.
　　　　　　2) 맑고도 속되지 않은.
　　　　　　3) 옛적부터 지니고 있던 독특한 음색 및 곡조.
　　　　　　4) 보자기로 집을 씌워서.

〈어부사시사〉 중의 춘사

앞개1)에 안개 걷고 뒷뫼2)에 해 비친다
배 떠라3) 배 떠라, 밤물은 거의 지고 낮물이 밀어 온다
지국총4) 지국총 어사와5), 강촌6) 온갖 꽃이 먼 빛이 더욱 좋다

🔍 주요 풀이　1) 앞에 흐르는 개울.
　　　　　　2) 뒷산.
　　　　　　3) 배 띄워라.
　　　　　　4) 닻을 감을 때 나는 소리로 어부가에서 후렴으로 쓰임.
　　　　　　5) 닻을 감을 때나 노를 저을 때에 내는 장단 소리.
　　　　　　6) 강가에 있는 마을.

하사

연잎에 밥 싸 두고 반찬을랑 장만 마라

닻 들어라 닻 들어라, 청약립1)은 써 있노라 녹사의2) 가져 오냐
지국총 지국총 어사와, 무심한3) 백구4)는 내 좇는가 제 좇는가

🔍 주요 풀이 1) 푸른 대나무 껍질로 만든 삿갓.
2) 도롱이. 띠 따위로 엮어 어깨에 걸쳐 두르던 우장의 한 가지로,
   주로 농부들이 썼다.
3) 아무런 뜻이 없는.
4) 갈매기.

추사

물외예1) 좋은 일이 어부 생애 아니더냐.
배 떠라 배 떠라, 어옹을 묻디 마라 그림마다 그렸더라
지국총 지국총 어사와, 사시흥2)이 한가지나 추강3)이 으뜸이라

🔍 주요 풀이 1) 세속에서 벗어난 곳에.
2) 네 계절의 흥취.
3) 가을 강.

수국1)에 가을이 드니 고기마다 살져 있다2)
닻 들어라 닻 들어라, 만경3) 징파4)에 슬카지5) 용여하자6)
지국총 지국총 어사와, 인간7)을 돌아보니 멀도록 더욱 좋다

🔍 주요 풀이 1) 강촌.
2) 알맞게 살이 올라 있다.
3) 전답이나 바다가 한없이 넓음을 나타내는 말.
4) 맑은 물결.
5) 실컷.

6) 한가롭게 노닐자.
7) 인간계. 속세.

동사

간밤에 눈 갠 후에 경물이1) 달랐고야2)

이어라 이어라, 앞에는 만경유리3) 뒤에는 천첩옥산4)

지국총 지국총 어사와, 선곈가5) 불곈가 인간이 아니로다6)

주요 풀이   1) 경치와 물색이.
2) 달라졌구나!
3) 넓게 펼쳐진 잔잔하고 아름다운 바다.
4) 겹겹이 쌓인 구슬같이 아름다운 산.
5) 신선계인가.
6) 인간 세상이 아니구나.

뫼는 길고길고 물은 멀고멀고

어버이 그린 뜻은 많고많고 하고하고

어디서 외기러기는 울고울고 가느니

보리밥 풋나물을 알맞게 먹은 후에

바위 끝 물가에 슬카지1) 노니노라

그 남은2) 여남은3) 일이야 부러워할 줄 이시랴

주요 풀이   1) 실컷. 싫증이 나도록.
2) 그 밖에.
3) 나머지. 다른.

비 오는데 들에 가랴 사립1) 닫고 소 먹여라.
마히2) 매양3)이랴 쟁기 연장 다스려라4)
쉬다가 개는 날 보아 사래 긴 밭 갈아라

🔍 주요 풀이　1)싸리나무 등으로 엮어서 만든 사립문.
　　　　　　　2) '마' 는 장마의 옛말. 장마가.
　　　　　　　3)늘. 항상.
　　　　　　　4)손질하여라.

즐기기도 하려니와 근심을 잊을 것가1)
놀기도 하려니와 길기2) 아니 어려우냐
어려운 근심을 알면 만수무강3)하리라

🔍 주요 풀이　1) '것인가' 의 준말.
　　　　　　　2)길게. 오래도록.
　　　　　　　3)오래오래 건강하게 살다.

슬프나 즐거우나 옳다 하나 외다1) 하나
내 몸의 해올2) 일만 닦고 닦을 뿐이언정
그 밖에 여남은 일3)이야 분별할 줄 이시랴

🔍 주요 풀이　1)그르다고.
　　　　　　　2)해야 할.
　　　　　　　3)내가 하지 않아도 될 나머지 일.

정 두 경

1597~1673년. 호는 동명. 1629년 별시에 장원급제하여 예조 참판 · 제학에 이르렀으나, 벼슬을 사양하고 학문에 전념하였다. 저서로는 《동명집》이 있다.

금준1)에 가득한 술을 슬카장2) 기울이고
취한 후 긴 노래에 즐거움이 그지없다
어즈버 석양이 진타 마라3) 달이 좇아오노매4)

주요 풀이   1) 좋은 술독.
2) 실컷.
3) 지난다 하지 마라.
4) 따라오는구나.

정 태 화

1602~1673년. 호는 양파. 1628년에 별시에 뽑혀 우의정 · 좌의정을 거쳐 여섯 번이나
영의정을 지냈다. 1637년 소현 세자를 배행하여 심양에 다녀왔다.

술을 취하게 먹고 두렷이[1] 앉았으니
억만 시름이 가노라 하직한다
아해야 잔 가득 부어라 시름 전송[2]하리라

주요 풀이   1) 둥글게.
           2) 떠나 보냄.

강백년

1603~1681년. 호는 설봉. 1646년 중시에 급제하여 좌참찬을 거쳐 예조 판서에 올랐다. 저서에는 《설봉집》과 《한계만록》 등이 있다.

청춘에 곱던 양자¹⁾ 님으로야²⁾ 다 늙었다

이제 님이 보면 날인 줄 알으실까

아무나 내 형용 그려다가 님의 손대³⁾ 드리고자⁴⁾

주요 풀이　1) 모습.
　　　　　　2) 임으로 말미암아.
　　　　　　3) 임에게.
　　　　　　4) 드리고 싶다.

유혁연

1616~1680년. 호는 야당. 1644년 무과에 급제하여 삼도 수군 통제사 · 포도대장 · 훈련대장 · 공조 판서를 지냈다. 1680년 경신대출척에 연좌되어 경상도 영해로 귀양갔다가 제주도 대정으로 옮기어 그 곳에서 생을 마쳤다. 글씨와 죽화에 뛰어났다.

닫는 말 서서 늙고 드는 칼 보미거다[1]
무정 세월은 백발을 재촉하니
성주[2]의 누세홍은[3]을 못 갚을까 하노라

주요 풀이   1) 녹이 슬었다.
　　　　　 2) 거룩하신 임금님.
　　　　　 3) 대대로 받은 큰 은혜.

낭원군

1580~1640년. 선조의 열세 번째 아들인 인흥군의 둘째 아들이다. 본명은 간, 호는 최락당이다. 인조 때의 유명한 가객으로 시문에 매우 뛰어나 《산수한정가》, 《애국도보가》 등의 가사를 지었으나, 지금은 전하지 않는다.

정우정¹⁾ 돌아드니 최락당²⁾ 한가한데
금서생애³⁾로 낙사ㅣ⁴⁾ 무궁하다마는
이 밖에 청풍명월이야 어내⁵⁾ 끝이 있으랴

주요 풀이   1) 낭원군이 독서하던 정자.
2) 낭원군이 호를 삼은 자신의 서재.
3) 거문고와 서책을 즐기는 생활.
4) 즐거운 일이.
5) 어찌.

남으로서 친한 사람 벗이라 일렀으니
유신곳¹⁾ 아니하면 사귈²⁾ 줄이 있을소냐
우리는 어진 벗 알아서 책선³⁾을 받아 보리라

주요 풀이   1) 믿음이 있다.
2) 사귐.
3) 착한 일을 권함.

어버이 날 낳으셔 어질과자¹⁾ 길러 내니
이 두 분 아니시면 내 몸 나서 어질소냐²⁾
아마도 지극한 은덕을 못내³⁾ 갚아 하노라

1)어질게 만들고저.
2)어질 것인가?
3)못다.

주 의 식

?~? 조선 시대의 무인. 호는 남곡. 숙종 때에 무과에 급제한 뒤 철원 현감 등을 지냈다. 정계의 혼란을 피해 풍류를 즐기며 살았다. 인생의 허무함을 강조하는 향락적이며 염세적인 시를 많이 지었다.

주려[1] 죽으려고 수양산[2]에 들었거니

설마 고사리를 먹으려 캐었으랴

물성[3]이 굽은 줄 미워[4] 펴 보려고 캠이라[5]

🔍 주요 풀이 1) 굶주려서.
　　　　　　 2) 백이와 숙제가 은둔 생활을 했던 중국의 산.
　　　　　　 3) 물질이 가지고 있는 성질.
　　　　　　 4) 굽은 것이 미워.
　　　　　　 5) 캐었던 것이다.

유 천 군

1614~? 서예에 조예가 깊었다고 전한다.

어제도 난취하고[1] 오늘도 또 술이로다

그제 깨었던지 그끄제는 나 몰래라[2]

내일은 서호[3]에 벗 오마니[4] 깰동말동[5] 하여라

주요 풀이   1) 만취하고. 몹시 취하고.
          2) 모르도다.
          3) 서쪽에 있는 호수. 중국 절강성에 있는 전당호를 서호라고 일컫
             는데, 그 경치가 아름답기로 유명하다.
          4) 온다고 했으니.
          5) 깰는지 말는지.

숙 종

1661~1720년. 조선 19대 왕. 1667년 왕세자로 책봉되었으며, 1674년 임금의 자리에 올랐다. 재위 당시 조정에서 당파 싸움이 일어나, 남인과 서인의 대립이 극심하였다. 한편 대동법을 전국적으로 실시함으로써 토지 개혁을 단행하였고, 백두산에 정계비를 세워 국경선을 확장하였다.

하우씨1) 제강할 제2) 부주하던3) 저 황룡4)아

창해5)를 어디 두고 반벽6)에 와 걸렸나니

아무리 흥운작우한들7) 언정8)같이 보리라

주요 풀이 1) 요순 시대에 9년 동안 대홍수를 다스린 공으로 제위에 올라 하나라를 세웠다.
2) 강물을 바로잡을 적에.
3) 배를 등에 업어 주던.
4) 누런 빛의 용.
5) 푸르고 깊은 바다.
6) 둘러싸인 절벽.
7) 구름을 일으켜 비가 오게 할지라도
8) 도마뱀과 비슷한 파충류로, 몸은 회갈색이며 발가락에 빨판이 달려 있다.

김 천 택

1690~? 조선 영조 때의 시인·가객. 호는 남파. 평민 출신으로 포교를 지냈다. 시조에
뛰어난 재능을 보여 《해동가요》에 57수의 시조를 남겼다. 김수장 등과 함께 경정산가단
에서 후진을 양성하였으며, 1728년 《청구영언》을 편찬하는 등 시조의 정리와 발전에
커다란 공적을 남겼다.

백구ㅣ야1) 말 물어보자 놀라지 말아스라2)

명구 승지3)를 어디어디 벌였더냐4)

날더러 자세히 일러든5) 너와 게6)가 놀리라

🔍 주요 풀이 1) 갈매기야.
2) 말려무나.
3) 경치가 좋기로 소문이 난 곳.
4) 널려 있더냐?
5) 일러 준다면.
6) 거기에.

남산1) 내린 골2)에 오곡3)을 갖춰4) 심어

먹고 못 남아도 긋지나5) 아니하면

그 밖의 여남은6) 부귀야 바랄 줄이7) 있으랴

🔍 주요 풀이 1) 앞에 보이는 산.
2) 비탈진 골짜기.
3) 다섯 가지 주요 곡식, 즉 쌀·보리·조·콩·기장.
4) 갖추어.
5) 끊이지나.
6) 다른.
7) 바랄 까닭이.

장검1)을 빼어들고 다시 앉아 헤아리니2)

흉중3)에 먹은 뜻이 한단보4) 되었괴야5)

두어라 이 또한 명이니6) 일러 무삼하리요

🔍 주요 풀이　1) 긴 칼.
　　　　　　2) 생각해 보니.
　　　　　　3) 가슴속.
　　　　　　4) 한단은 중국 하북성의 지명인데, 춘추 시대 초나라의 서울이었
　　　　　　　다. 당시 연나라의 수릉이란 소년이 한단으로 가서 그 곳 사람들
　　　　　　　의 점잖은 걸음걸이를 배우고자 했다. 그러나 채 배우지 못하고
　　　　　　　귀국하는 바람에 본래의 걸음걸이마저 잊어버려서 할 수 없이 기
　　　　　　　어서 돌아갔다고 한다. 자기의 본분을 잊어버리고 남의 행위를
　　　　　　　무조건 따라 하려다가 양쪽을 모두 잃게 되는 경우를 가리킬 때
　　　　　　　쓰인다.
　　　　　　5) 되었구나.
　　　　　　6) 운명이니.

녹이 상제1) 역상2)에서 늙고 용천설악3) 갑리4)에 운다

장부의 혜온5) 뜻을 속절없이 못 이루고

귀 밑에 흰 털이 날리니 그를 설워 하노라

🔍 주요 풀이　1) 녹이는 주나라 목왕의 준마의 이름이며, 상제도 좋은 말의 이름
　　　　　　　이다.
　　　　　　2) 마판 위. 마구간 위.
　　　　　　3) 용천은 보검의 이름이며, 설악은 날카로운 칼날을 뜻함.
　　　　　　4) 칼집 속.
　　　　　　5) 마음먹은.

옷 벗어 아희 주어 술집에 불모¹⁾하고

청천²⁾을 우러러 달다려³⁾ 물은 말이

어즈버 천고⁴⁾ 이백⁵⁾이 날과⁶⁾ 엇더하더뇨

🔍 주요 풀이　1) 약속의 이행을 담보하기 위하여 맡기는 사람이나 물건.
　　　　　　　2) 푸른 하늘.
　　　　　　　3) 달에게.
　　　　　　　4) 옛날.
　　　　　　　5) 이태백. 중국 당나라 때의 시인.
　　　　　　　6) 나하고 비교해서.

작품 해설　'옷을 벗어 술집 아이에게 술값 대신 잡히고, 잔을 기울이면서 푸른 하늘을 우러러 보며 달에게 묻는다. 달아, 이태백과 놀던 달아, 이렇게 부어 마시는 내가 이태백인가, 이태백이 나인가 대답해 다오' 작가는 이태백과 달과의 사연을 되물어, 시에 호방한 풍미를 더해 주고 있다.

잘 가노라 닫지 말며¹⁾ 못 가노라 쉬지 말라

부디 끊지 말고 촌음²⁾을 아껴스라³⁾

가다가 중지곧 하면⁴⁾ 아니 감만⁵⁾ 못하니라

🔍 주요 풀이　1) 달리지 말며.
　　　　　　　2) 매우 짧은 시간.
　　　　　　　3) 아껴라!
　　　　　　　4) '곧'은 강조를 나타내는 조사. 중지하면.
　　　　　　　5) 아니 가는 것만.

강산 좋은 경을[1] 힘센 이 다툴 양이면
내 힘과 내 분으로[2] 어이하여 얻을소냐
진실로 금할 이[3] 없을 새 나도 두고[4] 노니노라[5]

주요 풀이　1)아름다운 경치를.
　　　　　2)내 타고난 힘과 복으로.
　　　　　3)자연을 사랑하는 마음을 막을 사람이.
　　　　　4)마음놓고.
　　　　　5)자연을 즐기는구나.

김수장

1690~? 조선 시대의 문인·가객. 호는 노가재. 숙종 때 병조에서 서리를 지냈다. 김천택 등과 함께 경정산가단을 만들어 시조를 보급하는 데 커다란 공을 세웠다. 1763년 시조집 《해동가요》를 편찬하였다. 국한문 혼용체를 구사하였으며, 시조에 사실적 기법을 도입함으로써 한국 시가 사상 새로운 국면을 개척하였다.

요순1)은 어떠하여 덕택2)이 높으시며
걸주3)는 어떠하여 포학4)이 심톳턴고5)
이렇고 저러한 줄을 듣고 알게 하노라

주요 풀이　1) 고대 중국의 요 임금과 순 임금을 아울러 이르는 말.
　　　　　2) 남에게 끼친 덕이나 혜택.
　　　　　3) 하나라의 걸왕과 은나라의 주왕.
　　　　　4) 횡포하고 잔학함.
　　　　　5) 심하던가?

화개동1) 북록하2)에 초암3)을 읽었으니
바람비 눈서리는 그렁저렁 지내어도
어느제4) 다스한 햇빛이야 쬐어 볼 줄 있으랴

주요 풀이　1) 서울 화동의 옛 이름.
　　　　　2) 북쪽 산기슭에.
　　　　　3) 초옥으로 된 암자.
　　　　　4) 언제.

검으면 희다 하고 희면 검다 하네
검거나 희거나 옳다 할 일이 전혀 없네

찰하로[1] 귀막고 눈감아 들도 보도 말리라

🔍 주요 풀이   1) 차라리

작품 해설   경종이 후사가 없고 병약하자, 왕위 계승을 둘러싸고 노론파와 소론파가 서로 헐뜯는 암투상이 이 시조의 배경이 되고 있다. 작가는 차라리 귀를 틀어막고 듣지 않고, 눈을 감고 어지러운 세상을 보지 않는 것이 마음 편할 것이라고 강조하고 있다.

한식 비 갠 후에 국화 움[1]이 반가왜라.
꽃도 보려니와 일일신[2]이 더 좋애라.
풍상 섞어칠 제[3] 군자절[4]을 피운다.

🔍 주요 풀이   1) 새싹.
              2) 나날이 새로워짐.
              3) 서리와 바람이 섞어칠 때.
              4) 군자의 절개(국화꽃).

김 삼 현

?~? 숙종 때의 가객. 한때 절충 장군으로 품계가 3품에까지 이르렀으나, 장인 주의식과 함께 관직에서 물러나 강호에 은거하여 시를 지으며 소일했다. 시조 6수가 전한다.

공명1)을 즐겨 마라 영욕2)이 반이로다
부귀를 탐치 마라 위기를 밟나니라3)
우리는 일신이4) 한가커니5) 두려운 일 없애라

주요 풀이 1)공을 세우고 이름을 떨침.
　　　　　2)영광과 치욕.
　　　　　3)만나느니라.
　　　　　4)한 몸이.
　　　　　5)한가하니.

김 성 기

?~? 영조 때의 가인. 호는 조은. 상의원 궁인이었으나, 활을 버리고 거문고를 배웠으며, 통소 · 비파에도 뛰어나 많은 제자를 길러 냈다. 시조에 능하여 당시의 가인 김천택과 교유하며, 강호가 5수와 시조 6수를 《해동가요》에 남겼다.

강호1)에 버린 몸이 백구와 벗이 되야
어정2)을 흘리 놓고 옥소3)를 높이 부니
아마도 세상 흥미는 이뿐인가 하노라

주요 풀이   1)강과 호수가 있는 곳. 자연.
               2)작은 고깃배.
               3)옥통소.

굴레 벗은 천리마를 뉘라서 잡아다가
조죽1) 삶은 콩에 살지게 먹여둔들
본성이 와양하거니2) 이실3) 줄이 이시랴4)

주요 풀이   1)겨와 콩으로 쑨 죽.
               2)억세고 거치니.
               3)있을.
               4)있겠는가.

김유기

?~? 조선 숙종·영조 때의 가객. 김천택과 교분이 두터웠다. 《청구영언》에 10수의 시조를 남겼다.

오늘은 천렵1)하고 내일은 산행2)가세
꽃달임3) 모레 하고 강신으란4) 글피 하리
그글피 변사회할5) 제 각지호과6) 하시소

🔍 주요 풀이　1) 낚시
　　　　　　　2) 사냥.
　　　　　　　3) 화전.
　　　　　　　4) 강신제는.
　　　　　　　5) 활쏘기 모임을 할.
　　　　　　　6) 각자가 술과 과실을 가져 옴.

태산1)에 올라앉아 사해2)를 굽어보니
천지 사방이 훤츨3)도 한저이고
장부4)의 호연지기5)를 오늘이야 알괘라

🔍 주요 풀이　1) 중국에 있는 명산.
　　　　　　　2) 천하. 온 세상.
　　　　　　　3) 넓고 시원함.
　　　　　　　4) 다 자란 건장한 남자.
　　　　　　　5) 하늘과 땅 사이에 가득찬 넓고 큰 정기.

김창업

1658~1721년. 호는 노가재 또는 석교. 부친과 맏형이 영의정의 벼슬에 올랐으나, 벼슬을 싫어하여 농사를 지으며 전원 생활을 했다. 1712년 맏형 창집과 함께 청나라 북경에 다녀와 《연행록》을 지었으며, 산수·인물 등 서화에도 뛰어났다.

벼슬을 저마다 하면 농부할 이[1] 뉘 있으며
의원이 병 고치면 북망산[2]이 저러하랴
아해야 잔 가득 부어라 내 뜻대로 하리라

주요 풀이 1) 농사꾼이 될 사람.
          2) 죽어서 가는 무덤 자리.

거문고 술[1] 꽂아 놓고 호젓이 낮잠든 제
시문[2] 견폐성[3]에 반가온 벗 오도괴야[4]
아희야 점심도 하려니와 외상 탁주[5] 내어라

주요 풀이 1) 거문고를 타는 도구. 술대.
          2) 사립문.
          3) 개 짖는 소리.
          4) 오는구나.
          5) 외상 막걸리.

이 택

?~? 조선 시대의 무인. 숙종 때 무과에 급제한 뒤 벼슬이 병사에까지 이르렀다.

감장새¹⁾ 작다 하고 대붕²⁾아 웃지 마라

구만 리 장천³⁾을 너도 날고 저도 난다

두어라 일반⁴⁾ 비조ㅣ니⁵⁾ 네오 긔오⁶⁾ 다르랴

🔍 주요 풀이   1) 빛깔이 가무잡잡하고 몸집이 작은 새. 굴뚝새.
2) 하루에 9만 리나 날아간다는 상상 속의 큰 새.
3) 높고 넓은 하늘.
4) 보통.
5) 나는 새이니.
6) 너나 그것이나.

작품 해설   '다같이 날아다니는 새들끼리 얼마나 길고 짧으며, 얼마나 다를 것인가? 너나 저것이나 모두 똑같은 새가 아니겠는가!'

이 시조는 아귀다툼에 시간을 허비한다든가, 체면을 지키느라 흑백을 우겨 대는 어리석은 행동을 경계한 것이다. 즉 조금 앞서고 뒤떨어진 사람 앞에서 자랑을 늘어놓는다거나, 자신의 우월함을 과시하지 말라는 내용이다.

남구만

1629~1711년. 조선 시대의 문인. 호는 약천. 1656년 별시 문과에 급제한 뒤 소론의 영수가 되었다. 영의정의 자리에 올랐으나, 남인이 득세하자 강릉으로 유배를 당하였다. 갑술옥사 후 다시 영의정에 기용되었으나, 장희빈을 도와주다가 물러나 학문에 정진하였다. 저서로는 《약천집》, 《주역참동계주》 등이 있다.

동창[1]이 밝았느냐 노고지리[2] 우지진다[3]

소칠[4] 아이는 여태 아니 일었느냐[5]

재 너머 사래[6] 긴 밭을 언제 갈려 하느니

주요 풀이   1)동쪽으로 난 창.
2)종달새.
3) '울다'와 '짖다'의 합친 말. 계속해서 운다.
4)소를 기를.
5)일어났느냐?
6)이랑.

이 유

?~? 호는 소악루. 숙종 때 현감을 지냈으며, 시조 3수가 전한다.

자규야 우지 마라 울어도 속절 없다[1]
울거든 너만 우지 날은[2] 어이[3] 울리는다[4]
아마도 네 소리 들을 제면 가슴 알파[5] 하노라

🔍 주요 풀이　1) 다른 도리가 없다.
　　　　　　　2) 나까지.
　　　　　　　3) 어째서.
　　　　　　　4) 울리느냐?
　　　　　　　5) 아파.

박태보

1653~1689년. 조선 시대의 문인. 호는 정재. 숙종 때 문과에 급제한 뒤, 벼슬이 응교 자리에까지 올랐다. 숙종이 장희빈의 말에 속아 인현 왕후를 폐비시키려 하자, 그것의 부당함을 간하다가 진도로 유배를 당하였다.

흉중1)에 불이 나니 오장2)이 다 타 간다
신농씨3) 꿈에 보아 불 끌 약 물어보니
충절4)과 강개5)로 난 불이니 끌 약 없다 하더라

주요 풀이
1) 가슴속.
2) 한방에서 다섯 가지 내장을 통틀어 이르는 말, 즉 간장 · 심장 · 비장 · 폐장 · 신장.
3) 중국 고대 전설에 나오는 삼황 가운데 한 사람으로, 백성들에게 처음으로 농사 짓는 법을 가르쳤다고 한다.
4) 충성스러운 절개.
5) 의기가 북받치어 분개함.

윤 두 서

1668~? 조선 시대의 문인 · 화가. 호는 공재. 1693년 진사시에 급제하였다. 시문에 능하였을 뿐 아니라, 그림 또한 뛰어났다. 현재 · 겸재와 함께 '조선의 3재'로 불린다.

옥1)에 흙이 묻어 길가에 버렸으니
오는 이 가는 이2) 다 흙만 여겼도다
두어라 흙이라 한들 흙일 줄이3) 있으랴

주요 풀이　1)보석의 한 가지.
　　　　　2)오고가는 사람.
　　　　　3)흙일 까닭이.

신정하

1680~1715년. 호는 서암. 1705년에 증광 문과에 급제하여 여러 벼슬을 지냈다. 소론파 추방시 파직되었다. 저서로 《서암집》이 있다.

벼슬이 귀타 한들[1] 이 내 몸에 비길소냐

건로[2]를 바삐 몰아 고산[3]으로 돌아오니

어디서 급한 비 한 줄기에 출진 행장[4] 씻었고

주요 풀이   1) 귀하다 한들.
2) 절름발이 나귀.
3) 고향 산촌.
4) 속세를 벗어나는 여행의 차림.

안 서 우

1691~? 실학파의 거장 안정복의 할아버지이다. 호는 양병제. 울산 부사에 올랐으나 성
묘종사 사건으로 인해 벼슬길을 떠나 전라도 무주에 칩거하였다.

청산1)은 무슨 일로 무지한2) 날 같으며

녹수는 어찌하여 무심한3) 날 같으뇨4)

무심코 무지라5) 웃지 마라 요산요수하리라6)

🔍 주요 풀이   1) 푸른 산.
　　　　　　　2) 아는 것이 없어 어리석은.
　　　　　　　3) 아무런 뜻이 없는.
　　　　　　　4) 나와 같은가?
　　　　　　　5) 무심하고 무지하다 해서.
　　　　　　　6) 산과 물을 좋아하리라.

먹거든 머지 마나 멀거든 먹지 마나

멀고 먹거든 말이나 하련마는

입조차 벙어리되어 말 못 하여 하노라

박 후 웅

?~? 조선 시대의 문인으로, 동지 벼슬을 지냈다.

태공¹⁾의 고기 낚던 긴 줄 매어 앞내에 내려
은린 옥척²⁾을 버들움³⁾에 꿰어 들고 오니
행화촌⁴⁾ 주가⁵⁾에 모은⁶⁾ 벗님네는 더디 온다 하더라

주요 풀이 1) 강태공. 주나라가 천하통일을 하는 데 가장 공이 컸던 사람.
          2) 은비닐이 달린 듯 모양이 아름답고 큰 물고기.
          3) 새로 돋아난 버들가지.
          4) 살구꽃이 피어 있는 마을.
          5) 술집.
          6) 모인.

조명리

1697~1756년. 조선시대의 문신. 호는 문헌 또는 도천. 1731년 정시 문과에 급제하였다. 1755년 《천의소감》을 편찬하였으며, 저서로 《도천집》이 있다.

설악산[1] 가는 길에 개골산[2] 중을 만나

중더러 물은 말이 풍엽이 어떻더니

이 사이[3] 연하여 서리치니 때 맞았다[4] 하더라

주요 풀이 1) 강원도 양양군에 있는 명산.
2) 겨울철의 금강산을 이르는 말.
3) 이즈음.
4) 때가 알맞겠다고.

이 정 신

?~? 호는 백회재. 영조 때 현감을 지냈다. 사설시조 2수를 포함한 12수의 시조가 《청구영언》, 《가곡원류》에 전한다.

남이 해할지라도 나는 아니 겨로리라[1]

참으면 덕이요 겨로면 같으리니

굽음이 제게 있거니 갈올[2] 줄이 있으랴

🥄 주요 풀이   1) 겨루겠다. 대항하겠다.
　　　　　　　2) 상대할.

매아미 맵다 울고 쓰르라미 쓰다 우네

산채[1]를 맵다는가 박주[2]를 쓰다는가

우리는 초야[3]에 묻혔으니 맵고 쓴 줄 몰라라

🥄 주요 풀이   1) 산나물.
　　　　　　　2) 변변치 못한 술을 낮추어 부르는 말.
　　　　　　　3) 한적한 시골.

?~? 1760년 영천 군수 · 한성 서윤을 지냈다. 종실 서천군의 손자로 글씨에 뛰어났다.
시조 2수가 전한다.

샛별 지자 종다리 떴다 호미 메고 사립 나니[1]
긴 수풀 찬 이슬에 베잠방이[2] 다 젖는다
아해야 시절이 좋을손[3] 옷이 젖다 관계하랴

🔍 주요 풀이　1) 사립문 나서니.
　　　　　　 2) 베로 만든 짧은 홑바지.
　　　　　　 3) 좋을 것이면.

이 정 보

1697~1766년. 조선 시대의 문신·학자. 호는 삼주. 1732년 정시 문과에 급제하였다.
1736년 탕평책을 반대하는 시무십일조를 올려 파직되었다가 다시 기용되었다.

국화야 너난 어이 삼월 춘풍1) 다 지내고
낙목한천2)에 네 홀로 피었나니3)
아마도 오상고절4)은 너뿐인가 하노라

🔍 주요 풀이　1) 만물을 생동케 하는 봄바람.
　　　　　　　2) 나뭇잎이 다 떨어진 겨울의 춥고 쓸쓸한 풍경, 또는 그러한 계
　　　　　　　　　절을 이르는 말.
　　　　　　　3) 너 혼자 피었느냐?
　　　　　　　4) '서릿발 속에서도 굽히지 않고 외로이 지키는 절개'라는 뜻으로,
　　　　　　　　　국화를 비유하여 이르는 말.

작품 해설　이 시조는 지조와 절개를 목숨보다 중히 여긴 작자 자신을 국화에 비유하여
지은 것이다. 따뜻한 계절 다 보내고 서리 내리는 늦가을에 피는 국화는, 어떤 어려움과 유혹
에도 꺾이지 않는 선비의 절개와 지조를 상징한다.

광풍에 떨린1) 이화 오며가며 날리다가
가지에 못 오르고 거미줄에 걸리거다2)
저 거미 낙환 줄 모르고 나비 잡듯 하련다

🔍 주요 풀이　1) 떨어진
　　　　　　　2) 걸리었다.

묻노라 부나비야 네 뜻을 내 몰라라
한 나비 죽은 후에 또 한 나비 따라오니
아무리 푸새엣[1] 즘생인들 너 죽을 줄 모르는다[2]

🔍 주요 풀이　1) 하잘것없는. 보잘것없는.
　　　　　　 2) 모르는가?

꽃 피면 달 생각하고 달 밝으면 술 생각하고
꽃 피자 달 밝자 술 얻으면 벗 생각하네
언제면 꽃 아래 벗 다리고[1] 완월장취하려노[2]

🔍 주요 풀이　1) 데리고
　　　　　　 2) 달구경하면서 오래도록 취하겠는가.

울여논[1] 물 실어 놓고 면화밭 매오리라
울 밑에 외를 따고 보리 능거[2] 점심하소
뒷집에 빚은 술 익거든 차자[3]나마 가져오세

🔍 주요 풀이　1) 올벼를 심은 논.
　　　　　　 2) 거친 보리를 절구에 찧어서 겉껍질을 벗김.
　　　　　　 3) 술이 익으면 약주를 떠내고 막걸리를 걸러 낸다. 그 다음 물을
　　　　　　　　 부어 걸러 내는 술을 '차자'라고 한다.

박 효 관

1868~? 조선 시대의 풍류 가객. 호는 운애. 대원군의 총애를 받아 그의 문하에 자주 출입하였다. 시조집 《가곡원류》를 편찬하였으며, 안민영을 훌륭한 시조 시인으로 키웠다.

뉘라서[1] 가마귀를 검고 흉타 하돗던고[2]

반포보은[3]이 긔 아니 아름다운가

사람이 저 새만 못함을 못내 슬허하노라

🔍 주요 풀이 1) 누가 있어서.
2) 검고 흉하다고 하였던고?
3) 까마귀 새끼가 자라서 먹이를 물어다가 어미에게 준다는 이야기로, 자식이 늙은 부모의 은혜를 갚는 경우를 빗댐.

어와[1] 내 일이여 나도 내 일[2]을 모르놋다[3]

우리 님 가오실 제[4] 가지 못하게 못할런가[5]

보내고 길고 긴 세월에 살던 생각 어이료[6]

🔍 주요 풀이 1) 가락을 맞추기 위한 감탄사.
2) 나의 딱한 사정.
3) 모르겠구나!
4) 가실 적에.
5) 못하겠던가?
6) 어이하리.

공산에 우는 접동[1] 너는 어이 우짖는다[2]

너는 날과 같이[3] 무음[4] 이별하였느냐

아무리 피나게 운들 대답이나 하더냐

🔍 주요 풀이   1) 접동새. 두견새.
2) 울며 지저귀느냐?
3) 너도 나처럼.
4) 무슨.

님 그린 상사몽1)이 실솔2)의 넋이 되어
추야장3) 깊은 밤에 님의 방에 들엇다가
날4) 잊고 깊이 든 잠을 깨워 볼까 하노라

🔍 주요 풀이   1) 누군가를 사모하여 꾸는 꿈.
2) 귀뚜라미.
3) 긴 가을 밤.
4) 나를.

작품 해설 잊을 수 없는 임이 그리워 귀뚜라미의 넋으로라도 바뀌어, 임의 침실에 가서 임을 깨우고 싶다는 내용의 시조이다. 나라에 대한 충절, 부모에 대한 효도를 인간이 지켜야 할 근본으로 삼았던 조선 시대에, 기생이 아닌 남성으로부터 이러한 내용의 시조가 나온 것은 과히 파격이라 할 수 있다. 조선 시대 말 유교적 봉건 사상이 흔들리고 있음을 엿볼 수 있는 작품이다.

안 민 영

?~? 조선 시대의 가객. 호는 주옹. 1876년 스승 박효관과 함께 조선 역대 시가집 《가곡원류》를 편찬함으로써, 근세 시조 문학을 총결산하는 업적을 남기었다.

어리고 성긴 매화 너를 믿지 않았더니
눈 기약1) 능히 지켜 두세 송이 피었구나
촉2) 잡고 가까이 사랑할 제 암향3)조차 부동터라4)

주요 풀이   1)눈길로 서로 맺은 약속.
            2)촛불.
            3)매화의 그윽한 향기.
            4)풍기더라.

눈으로 기약터니1) 네 과연 피었구나
황혼2)에 달이 오니 그림자도 성기거다3)
청향4)이 잔에 떠 있으니 취코5) 놀려 하노라

주요 풀이   1)기약하더니. 약속하더니.
            2)해가 지고 어둑어둑할 때.
            3)촘촘히 배지 않도다.
            4)맑은 향기.
            5)술에 취해서.

장공 구만 리에 구름을 쓸어 열고
두렷이 굴러 올라 중앙에 밝았으니
알괘라1) 성세 상원2)은 이 밤인가 하노라

해 지고 돋는 달이 너와 기약 두었던가
합리1)에 자던 곳이 향기 높아 맡는고야
내 엇디2) 매월3)이 벗되는 줄 몰랐던가 하노라

주요 풀이   1) 침실 안
              2) 어찌.
              3) 매화와 달.

빙자옥질1)이여 눈 속에 네로구나
가만히 향기 놓아 황혼월2)을 기약하니
아마도 아치고절3)은 너뿐인가 하노라

주요 풀이   1) 얼음 같은 모습에 옥 같은 바탕이라는 뜻으로, 매화를 형용하여
              이르는 말.
              2) 황혼에 떠오른 달.
              3) 고상하게 풍류를 즐기는 높은 절조.

지난 해 오늘 밤에 저 달빛을 보았더니
이 해 오늘 밤에 그 달빛이 또 밝았다.
이제야 세거월장재1)를 알았은저 하노라.

주요 풀이   1) 세월은 흘러가도 달은 길이길이 남는다.

신 희 문

?~?

논밭 갈아 기음매고 돌통대[1] 기사미[2] 피워 물고
콧노래 부르면서 팔뚝춤이 제격이라
아해는 지어자[3] 하니 후후 웃고 놀리라

주요 풀이 1) 흙이나 나무로 만든 담뱃대.
2) 썰어 만든 담배.
3) 흥을 돋우기 위해 장단을 맞추어 내는 소리.

물 아래 그림자 지니 다리 우에[1] 중이 간다
저 중아 게[2] 있거라 너 가는 데 물어보자
막대로 흰 구름 가라치고[3] 돌아 아니 보고 가노매라

주요 풀이 1) 위에.
         2) 거기에.
         3) 가리키고.

나비야 청산 가자 범나비 너도 가자
가다가 저무러든[1] 꽃에 들어 자고 가자
꽃에서 푸대접하거든 잎에서나 자고 가자

주요 풀이 1) 저물거든.

사랑이 어떻더니[1] 두렷더냐[2] 넓었더냐
기더냐 자르더냐 발을러냐[3] 자일러냐[4]
지멸이[5] 긴 줄은 모르되 애 끊을 만[6]하더라.

주요 풀이 1) 어떠하더냐?
         2) 둥글더냐?
         3) 발(길이를 재는 단위)로 밟겠더냐?
         4) 자로 재겠더냐?
         5) 매우 지루하게.
         6) 애가 끊일만.

설월이 만창[1]한데 바람아 부지 마라
예리성[2] 아닌 줄을 판연히 알건마는
그립고 아쉬운 적이면 행여 그인가 하노라

주요 풀이   1) 창에 가득히 비침.
              2) 신 끄는 소리.

말하기 좋다 하고 남의 말을 마를 것이
남의 말 내 하면 남도 내 말 하는 것이
말로써 말이 많으니 말 말음이[1] 좋에라[2]

주요 풀이   1) 말하지 않음이.
              2) 좋도다.

어져 세상 사람들이 올흔[1] 일도 못 다하고
구태야 그른 일로[2] 업슨 허물 싯는괴야[3]
우리는 이런 줄 알아서 올흔 일만 하리라

주요 풀이   1) 옳은.
              2) 옳지 못한 일로.
              3) 씻는구나.

까마귀 검으나 따나[1] 해오리[2] 희나 따나
황새 다리 기나 따나 오리 다리 자르나 따나
평생에 흑백 장단[3]을 나는 몰라 하노라.

1) 검든지 말든지.
2) 해오라기. 백로.
3) 옳고 그름을 얘기하는 것.

산중에 책력1) 없어 절2) 가는 줄 모르노라

꽃 피면 봄이요 잎 지면 가을이라

아해들3) 헌 옷 찾으면 겨울인가 하노라

주요 풀이 1) 달력.
2) 절기. 계절.
3) 아이들.

벽오동1) 심은 뜻은 봉황2)을 보렸더니3)

내 심은 탓인지 기다려도 아니 오고

밤중만 일편명월이 빈 가지에 걸렸세라4)

주요 풀이 1) 푸른 오동나무.
2) 오동나무에서만 산다는 전설적인 새.
3) 보려고 하였더니.
4) 걸렸구나.

작품 해설 이 시조에서 상서로운 새인 봉황은, 어지러운 시대를 바로잡을 덕망 높고 인자한 성인 군자를 상징한다. 하지만 기다려도 그 임(성인)은 오지 않고, 간절한 기도의 허망함을 가슴 아파한다는 내용이다.

달다려[1] 물오려고[2] 잔 잡고 창을 여니

두렸고[3] 맑은 빛은 예론 듯하다마는[4]

이제는 태백이 간 후이니 알 이 없어 하노라

주요 풀이　1)달더러. 달에게.
　　　　　2)물으려고.
　　　　　3)뚜렷하고.
　　　　　4)옛날과 같은 듯하다마는.

봄이 가려 하니 내라 혼자 말린손가[1]

다 못 핀 도리화[2]를 어찌하고 가려는다[3]

아희야 덜 괸 술 걸러라 가는 봄 전송하리라

주요 풀이　1)혼자서 말릴 것인가?
　　　　　2)복숭아꽃과 오얏꽃.
　　　　　3)가려고 하는가?

대붕[1]을 손으로 잡아 번갯불에 구워 먹고

곤륜산[2] 옆에 끼고 북해를 건너 뛰니

태산[3]이 발끝에 차이어 왜깍데깍[4]하더라

주요 풀이　1)큰 새. 《장자》에 보면 북쪽 바다에 곤이라고 하는 고기가 있는데,
　　　　　　그 길이가 몇 천 리가 되는지 알 수가 없다고 한다.
　　　　　2)중국 전설 속에 나오는 산. 처음에는 아름다운 옥이 나는 산으로
　　　　　　알려졌으나, 전국 시대 말기부터는 서왕모가 살며 불사의 물이
　　　　　　흐르는 신선경이라 믿어졌다.
　　　　　3)중국에서 이름난 산의 하나.
　　　　　4)단단한 물건이 서로 부딪혀 나는 소리.

목 붉은 산상치1)와 홰에 앉은 송골이2)와
집 앞 논 무살미3)에 고기 엿는 백로이로다
초당에 너희 곧 아니면 날 보내기 어려왜라4)

주요 풀이 1)산 위의 꿩.
2)송골매. 매의 한 종류.
3)물을 대고 써래질한 논.
4)어렵구나.

비는 온다마는 님은 어이 못 오는고
물은 간다마는 나는 어이 못 가는고
오거나 가거나 하면 이대도록1) 설우랴

주요 풀이 1)이토록.

말 타고 꽃밭에 드니 말굽에서 향내 난다
주천당1) 돌아드니 아니 먹은 술내 난다
어떻다 눈정2)에 걸은3) 님은 헛말4) 먼저 나느니5)

주요 풀이 1)술집 이름.
2)눈길로 느낀 정.
3)건.
4)헛소문.
5)나는가?

건너서는1) 손을 치고 집에서는 들라 하네2)
문 닫고 드자 하랴3) 손 치는 데를 가자 하랴

이 몸이 두 몸 되어 여기저기 하리라

🔍 주요 풀이   1) 건너편에서는
　　　　　　　 2) 들어오라고 하네.
　　　　　　　 3) 들어가자고 하겠는가?

어리거든1) 채2) 어리거나 미치거든 채 미치거나
어린 듯 미친 듯 아는 듯 모르는 듯
이런가 저런가 하니 아무런 줄3) 몰래라4)

🔍 주요 풀이   1) 어리석거든.
　　　　　　　 2) 아주.
　　　　　　　 3) 어떠한 줄.
　　　　　　　 4) 모르겠도다.

엇시조
사설시조

정철

장진주사

한 잔 먹새근여 또 한 잔 먹새근여 곳 것거[1] 산 노코[2] 무진 무진
먹새근여
이 몸 죽은 후면 지게 우해 거적 덥허 주리혀 매여가나, 유소보장[3]
의 만인이 우러녜나, 어욱새 속새 덥가나모 백양 속애 가기 곳 가
면 누론 해 흰 달 가는 비 굴근 눈
쇼쇼리바람 불 제 뉘 한 잔 먹쟈 할고
하믈며 무덤 우해 잰납이[4] 파람[5] 불 제야 뉘우친달 엇디리.

🔍 주요 풀이 1) 꽃나무 가지 꺾어.
　　　　　　2) 잔 수를 세며.
　　　　　　3) 화려한 상여.
　　　　　　4) 원숭이.
　　　　　　5) 휘파람, 즉 원숭이의 울음소리.

고대광실[1] 나는 마다[2] 금의옥식[3] 더욱이 싫의
은금보화, 노비전택[4] 비단장옷[5], 대단치마[6], 밀화주 곁칼[7], 자지
[8] 상직[9] 저고리, 딴머리[10] 석웅황[11], 오로다[12] 꿈자리로다
평생 나의 원하는 바는, 말 잘하고 글 잘하고 인물 개자하고[13], 품
자리[14] 가장 알뜰히 잘하는 젊은 서방인가 하노라

🔍 주요 풀이 1) 규모가 굉장히 크고 좋은 집.
　　　　　　2) 싫다고 거절하다.

3) 비단옷과 좋은 음식.
4) 노비와 논밭과 가옥.
5) 부녀자들이 나들이할 때 얼굴을 가리기 위하여 머리에서부터
  내리쓰던 두루마기 모양의 비단옷.
6) 대단은 중국산 비단으로, 비단치마를 가리킴.
7) 누런 호박 장식이 된, 허리에 차는 작은 칼.
8) 자줏빛.
9) 직물의 일종.
10) 여자의 본머리에 덧대어 얹는 머리.
11) 누런 빛의 광물의 일종.
12) 모두 다.
13) 깨끗이 잘생기고.
14) 가슴에 품어 주고, 잠자리를 같이하는 것.

김 두 성

?~? 영조 때 가객으로 김천택, 김수장 등과 함께 교유하며 일생을 보냈다. 시조 19수
가 전한다.

갈 제는 오마터니[1] 가고 아니 오매라[2]
십이난간[3] 바장이며[4] 님 계신 데 바라보니 남천에 안진[5]하고 서
상[6]에 월락토록 소식이 끊어졌다
이 뒤란 임이 오셔든[7] 잡고 앉아 새오리다

주요 풀이   1) 오겠다 하더니.
2) 오는구나.
3) 열두 굽이의 긴 난간.
4) 부질없이 왔다갔다 하며.
5) 기러기가 다 날아가서 보이지 않음.
6) 서쪽 마루.
7) 오시거든.

김 영

?~? 현종 때 사람. 호는 춘방. 산수화를 잘 그렸으며, 〈매화서실도권〉, 〈우후산수도〉가
국립박물관에 소장되어 있다.

눈 풀풀 접심홍1)이요 술 충충2) 의부백3)을
거문고 당당 노래하니 두루미 둥둥 춤을 춘다
아희야 시문4)에 개 짖으니 벗 오시나 보아라

주요 풀이   1) 나비가 꽃을 찾음.
            2) 밝지 못함.
            3) 개미가 뜬 듯한 술.
            4) 사립문.

웃는 양은 잇바디도[1) 좋고 할기는2) 양은 눈씨3)도 더욱 곱다
앉거라 서거라 걷거라 닫거라 온갖 교태를 다 하여라
허허허 내 사랑되리로다
네 부모 너 생겨 내올 제 날만 괴게4) 하도다5)

🔍 주요 풀이 1) 이빨도.
　　　　　　 2) 흘기는.
　　　　　　 3) 눈매.
　　　　　　 4) 사랑하게.
　　　　　　 5) 한 것이로다.

나무도 바윗돌도 없는 뫼1)에 매게2) 쫓긴 까토리3) 안4)과,
대천5) 바다 한가운데 일천 석 실은 배에, 노도 잃고 닻도 잃고 용
총6)도 끊고 돛대도 꺾고 키도 빠지고 바람 불어 물결치고 안개 뒤
섞여 잦아진7) 날에, 갈길은 천리 만리 남고 사면이 거머어둑 저문
8) 천지적막9) 가치노을10) 떴는데, 수적11) 만난 도사공12)의 안과,
엊그제 님 여읜13) 내 안이야 얻다가14) 가흘하리요15)

🔍 주요 풀이 1) 산.
　　　　　　 2) 매에게.
　　　　　　 3) 암꿩의.
　　　　　　 4) 마음.
　　　　　　 5) 충청남도에 있는 지역.
　　　　　　 6) 용총줄.
　　　　　　 7) 자욱한.
　　　　　　 8) 저물어.

9) 온 세상이 쓸쓸하고 고요하여.
10) 사나운 파도가.
11) 바다의 도둑.
12) 사공의 우두머리. 선장.
13) 이별한.
14) 어디에다가.
15) 비교하겠느냐.

님이 오마 하거늘 저녁밥을 일¹⁾ 지어 먹고 중문 나서 대문 나가 지방 우에²⁾ 치달아³⁾ 앉아 이수로 가액⁴⁾하고 오는가 가는가 건넛산 바라보니 거머흰들⁵⁾ 서 있거늘 저야⁶⁾ 님이로다
버선 벗어 품에 품고 신 벗어 손에 쥐고 곰배님배⁷⁾ 님배곰배 천방지방⁸⁾ 지방천방 건 데 마른 데 가리지 말고 워렁충창⁹⁾ 건너가서 정엣말¹⁰⁾ 하려 하고 곁눈을 흘깃 보니 상년¹¹⁾ 칠월 사흗날 갉아 벗긴 주추리¹²⁾ 삼대 살들이도 날 속여라
모쳐라¹³⁾ 밤일새만졍¹⁴⁾ 행여 낮이런들 남 우일¹⁵⁾ 번하괘라

주요 풀이
1) 일찍이.
2) 문지방 위에.
3) 치올라.
4) 손으로 이마를 가림.
5) 검은빛과 흰빛이 뒤섞인 모양.
6) 저것이야말로.
7) 거듭거듭. 엎치락뒤치락.
8) 허둥거리는 모양.
9) 급히 달리는 발소리.
10) 정다운 말.
11) 지난 해.
12) 삼대의 줄기.
13) 아서라.

14) 밤이었기 망정이지.
15) 남 웃길 뻔했도다.

귀또리[1] 귀또리 어여쁘다[2] 저 귀또리

어인[3] 귀또리 지는 달 새는 밤에 긴 노래 짜른 소리 절절이[4] 슬픈 소리 제 혼자 울어 예어[5] 사창[6] 여윈 잠[7]을 살뜰히도 깨우는고야.

두어라 제 비록 미물[8]이나 무인동방[9]에 내 뜻 알 이는 저뿐인가 하노라

🔍 주요 풀이   1) 귀뚜라미.
2) 가엾다.
3) 어찌 된.
4) 마디마디.
5) 계속 울어.
6) 비단으로 붙인 창. 여인들이 머물던 방.
7) 어렴풋이 든 잠.
8) 보잘것없는 벌레.
9) 임이 없는 외로운 여자의 방.

작품 해설 '귀뚜라미는 긴 가을밤을 꼬박 울어 세운다. 길고 짧은 소리로 마디마디 애간장을 태우는 가락은 너무나 애처롭고 가엾구나. 그러나 귀뚜라미 너의 슬픈 울음소리로 하여 나 또한 이 밤을 잠 못 이루고 있다. 어쩌면 너는 무인동방에서 외로움과 그리움으로 애태우고 있는 나의 마음을 알아 주는가 보다'

반복을 통하여 문장의 리듬을 형성하고 있으며, 섬세한 감정 표현이 눈에 뜨인다.

바둑이 검둥이 청삽사리¹⁾ 중에 조 노랑암캐같이 얄밉고 잣미우랴²⁾

미운 님 오게 되면 꼬리를 회회치며 반겨 내닫고 고운 님 오게 되면 두 발을 벋디디고³⁾ 콧살을 찡그리며 무르락⁴⁾ 나오락 캉캉 짖는 요 노랑암캐

이튿날 문 밖에 개 사옵세 외는⁵⁾ 장사 가거들랑 찬찬동여 내어주리라

🔍 주요 풀이　1) 빛깔이 검고 긴 털이 곱슬곱슬한 개.
　　　　　　　2) 정말 밉겠느냐?
　　　　　　　3) 버티고.
　　　　　　　4) 물러났다가.
　　　　　　　5) 개 삽니다 하고 외치는.

두꺼비 전파리1) 몰고2) 두엄3) 위에 치달아4) 앉아

건넛산 바라보니 백송골5)이 떠 있거늘, 가슴이 끔찍하여 펄쩍

뛰어 내닫다가 두엄 아래 자빠지거고6)

모쳐라 날랜 낼세망정7) 어혈8)질 번하괘라9)

🥄 주요 풀이 1) 절름거리는 파리.
2) 쫓아.
3) 퇴비. 짚·풀 따위를 썩혀서 만든 거름.
4) 달려 올라가.
5) 흰 송골매. 독수리과에 딸린 매의 하나로, 성질이 굳세고 동작
   이 날쌔 사냥용으로 쓰임.
6) 자빠졌구나.
7) 날래기에 망정이지.
8) 부딪히거나 타박상을 입어 피멍이 맺혀 있는 증세
9) 뻔했구나.

다산의 시

정약용

지은이

1762~1836년. 조선 말기의 학자·문인. 호는 다산. 1789년 식년 문과에 급제. 신유교란으로 18년 동안을 유배지에서 보냈다. 실학의 중농주의 학풍과 북학파의 기술도입론을 받아들여, 실학을 집대성하였다. 사실주의에 바탕을 둔 한시를 많이 남겼다. 《경세유표》, 《목민심서》, 《흠흠신서》 등이 있으며, 저서로는 방대한 《정다산전서》가 있다.

적 성 촌

시냇기에 찌그러진 집 한 채
마치 흉물스런 게딱지 같구나
사나운 바람에 이엉까지 날려가
서까래만 앙상하게 남았네

삭아 버린 재에 눈이 쌓여
부엌은 썰렁하고
허물어진 벽 틈으로
별빛이 쏟아져 들어온다

방 안에 있는 것이라곤
허섭스레기뿐
모조리 내다 판다 해도
엿가락 한 조각 살 수 있을까

개꼬리보다 더 짧은 조이삭
그것도 다 모아야 한 손에 담을 정도
빨간 고추 서너 개
여기저기 흩어져 있을 뿐

깨지고 금이 간 항아리는
헝겊으로 얼기설기 붙여 놓았고
찌그러진 시렁대는

새끼줄로 겨우겨우 얽어 놓았네

유일하게 남은 밑천 녹수저는
엊그제 이정놈이 빼앗아 가고
남은 쇠냄비 하나
이웃에 사는 양반놈이 수탈해 갔네

누덕누덕 기워 놓은 무명이불
단 한 채 남았으니
부부유별이란 말은
먼 산의 바람 소리에 지나지 않네

막내둥이가 입고 있는 적삼을 살펴보니
너덜너덜한 천조각에 지나지 않으니
태어나서 지금까지 버선 한 켤레 제대로
신어 보지도 못했을 것이네

큰아들은 겨우 다섯 살에 지나지 않건만
기병으로 등록이 되어 있고
세 살 먹은 둘째 아들도 당당히
군적에 올라 있다네

두 아들의 군포세로
다섯 량을 물고 나니
죽지 못해 사는 판

이런 판에 옷투정할 새 있느냐

아이와 강아지가 사이도 좋게
한 방 안에서 껴안고 잠을 자는데
밤이면 밤마다 호랑이는
울 밖에서 으르렁거리네

지아비가 나무하러 산에 가고 나면
집에 남은 지어미는 마을 사람 몰래
품방아를 찧으려고 대낮에도 사립문을 닫아 놓누나
차마 눈뜨고 바라보기 어려워라

아침 점심은 으레 굶는 법
밤이 깊어서야 불을 피우네
여름에는 솜누더기
겨울에는 삼베옷을 겨우 걸칠 뿐

야산에 자라는 냉이나 캐어 먹을까
여기저기 찾아 나섰으나 땅이 얼어붙었으니
이웃집 술 거르는 날에
술찌기라도 얻어먹어야지

지난 해 봄에 꾸어 먹고
갚아야 할 환자[1]가 다섯 말
당장 먹을 것 없으니

갚을 길이 막막하네

무섭고도 두려우나
환자 갚으라고 독촉하는 나졸놈이 언제 들이닥칠까
관가에 끌려가 태형2) 몇 대로
빚이나 갚을 수 있다면 차라리 좋을 것을

오호 통재라!3) 이와 같이 마음 졸이며 사는 집들이
이 땅 이 나라에 수두룩하구나
구중궁궐4)이 바다처럼 넓고 깊다 해도
백성들의 어려움은 헤아릴 줄 모르는구나

옛날 한나라에서는 어려움에 처한 백성들을 도우려고
직지사자5)를 마을마다 내려 보내
백성들을 착취하는 관리놈들을
따끔하게 혼내 주었다는데

악정과 학정 갖은 폐단을
그 뿌리부터 바로잡지 않는다면
공황6)이 다시 살아 온다 하여도
이 나라 백성은 구원하기 어려워라

그냥 두어라
정협7)이 유민도를 그린 것처럼
나도 이 시 한 편을 지어

님에게나 전해 드리는 수밖에

1) 각 고을의 사창에서 백성에게 꾸어 주었던 곡식을 가을에 받아들이는 것. 원래는 백성들을 구하려는 취지에서 실시되었으나, 천재지변이나 흉년 등에 의해 이를 제대로 갚지 못하여 빚이 계속 누적되는 경우가 많았다.

2) 매로 볼기를 맞는 형벌의 하나.

3) 아아, 슬프고 원통하다.

4) 문이 겹겹이 달린 깊은 대궐.

5) 중국 한나라 때부터 있어온, 암행어사와 비슷한 벼슬. 왕명을 받들어 지방을 순찰하면서 봉기를 진압하는 데 불리한 지방 관리를 처단하기도 하였다.

6) 서한의 공수와 황패를 줄여서 일컫는 말. '공수'는 발해 태수·관수형도위 등의 벼슬을 하였고, '황패'는 어사대부·승상 등의 벼슬을 하였다. 이들은 기만적 수단으로 봉기군을 와해하는 데 성공하여, 후세에 순리의 대표적 인물로 추대되었다.

7) 정협은 지금의 중국 복건 사람. 자는 개부. 유랑민의 형상을 그린 그림을 신종에게 바쳐 재해에 시달리는 백성들의 수난을 드러내면서 신법을 탓하였다. 저서에 《서당집》이 있다.

작품 해설 정약용은 암행어사로 여러 지방을 순회하면서, 가난과 굶주림에 시달리는 백성들의 참상을 생생하게 목격하였다. 이 시의 주제 역시 백성들의 참담한 생활상이다. 관리들의 부패와 무능력으로 백성들이 기아와 참상에 시달리는 현실을 깨달은 정약용은, 참다운 목민관의 필요성을 절실히 깨달았다. 후에 그는 올바른 목민관의 이상을 제시한 《목민심서》를 저술하였다.

가　난

가난 정도야 참을 수 있지
말들은 쉽게 하지만
정녕 가난이 눈앞에 다가오면
참을 수 있는 사람이 몇이나 될까

마누라 바가지에
기란 기는 다 꺾이고
아이들이 굶주리는 모습을 보고
마음이 흔들리지 않을 가장이 몇이나 될까

화초가 스스로 곱다 자랑하지만
어쩐지 처량해 보이고
시를 쓰고 책을 읽는 것이 군자의 도리라 하나
모두 다 하찮게 보이는구나

그러나 울밑의 밭에서는 소리 소문도 없이
보리가 절로 익어 가고 있구나
차라리 농부가 되어
농사를 짓는 것이 바른 삶이 아니겠는가

어린 아들이 밤을 부쳐 오다

도연명1)의 아들을 어찌 내 아들에 비길 수 있느냐
기특도 하여라 아비에게 밤을 부쳐 왔구나

한 자루에 차곡차곡 잘도 골라 넣었구나
천리 밖 구차하게 사는 나를 위로하려는 마음이겠지

알뜰히 얽어맨 그 정성이 애처롭고
살뜰히 싸 봉하던 그 손매도 눈에 선하구나

밤을 하나 먹어 보니 가슴이 찌르르 저려 와서
서글픈 마음으로 먼 하늘만 물끄러미 바라보고 있노라

🔍 주요 풀이   1)중국 송나라 때의 시인. 전원을 사랑하고 술을 즐기는 생활 속에
서, 인생의 의미나 정치적 포부를 담은 이상주의적 자연시를 많
이 남겼다. 〈귀거래사〉가 대표적인 작품이다.

탐진 어부의 노래

1

봄물결에 뱀장어잡이 고깃배
둥둥둥 떠나가네
높새바람[1] 싣고 출항하여
마파람[2]이 불거든 곧바로 돌아오소서

2

셋물 지자 넷물 드네
소소리 물결은 쏴――철썩
복장이잡이만 좋아라고
노어박주 다 놓친다네

3

물 속에 등불이 비치니
아침 노을이 타는 듯
어구들은 가지런히
모래펄에 놓여 있네

제발 내 그림자
저 물 속에 비치지 말거라

신적호3) 큰 사어가
뛰어오르면 어쩌나

4

추자도 장사배
고뢰도에 닻을 풀었네
제주도 대갓 차양
가득 싣고 닻을 풀었네

돈이 많고 물건이 많아
장사 시세 좋을시고
사나운 파도 소리
마음 편할 날이 없구나

5

마을 아이들 왁자지껄
떼를 지어 물가로 몰려드네
바다의 새아가씨
헤엄 시합이 열렸다고
이봐 저 중에서
어느 누가 일등이냐
남녘 마을 숫총각이
약혼 편지 드린단다

6

관리들이 갖신을 질질 끌고
나루터를 돌아다니네
올해부터는 선첩4)을
선혜청5)에서 타 가야 한다며

고기잡이 어부생활
경기 좋다 말하지 마소
올망졸망한 어구들조차
몽땅 다 적어 가네

7

북소리가 둥둥둥 울려 퍼지자
짐배가 둥둥둥 떠나가네
지국총 지국총 어사와6)
뱃노래 연신 들려 오네

물귀신 제단 앞에 다다르자
너도 나도 절하면서
마음속으로 비는 말
석 달 열흘만 바람이 멈추게 해 주소서

8

육방관속7) 콧날 높아
동헌8) 대청을 내려다보고
주패홍패 쉴 사이 없이
어촌을 찾아오네

연해연송 내리는 관첩
진짜진짜 어이 가랴
고을문은 예로부터
호랑이와 승냥이 소굴이란다

9

완도 앞 큰 배들이
나무를 가득 실어 가네
황장목9) 한 대 값이
백 량이 넘는다면서

수염방자 거동 좀 보소
뇌물을 받아 다 삼키고
남쪽 연못가 수양버들 그늘 아래에
곤드라져 누워 있네

1) 뱃사람들이 부르는 북동풍의 다른 이름.
2) 남쪽에서 불어오는 바람.
3) 물고기의 일종으로, 사람 그림자를 보면 물 위로 뛰어오르면서 사람을 해친다고 하는 사어의 별칭.
4) 어부 허가장의 일종으로 원주에 군역 제도를 실시한 후로 사소한 관첩이라도 모두 선혜청에서 직접 수표하였다고 한다.
5) 조선 시대 때, 대동미 · 대동목의 출납을 관장하던 관청.
6) 흥을 돋우기 위해 내는 〈어부가〉 후렴의 하나.
7) 군급의 행정 부서인 이방 · 호방 · 예방 · 병방 · 형방 · 공방 등의 육방에 소속된 아전들.
8) 고을 원이나 감사 · 병사 · 수사 등이 공사를 처리하던 대청이나 집.
9) 국왕의 관감으로 지정된 나무.

볏 모

1

볏모[1]가 날마다 무럭무럭 자라나서
파릇파릇한 속잎이 누렇게 변하더니

비단을 펼쳐 놓은 듯
금빛 은빛 색깔로 영롱하게 떠올라라

어린아이 기르듯 정성을 다해
아침 저녁 열심히 보살펴 주었어라

구슬과 옥처럼 귀하고 소중하여
쳐다보기만 해도 마음이 흐뭇했어라

2

봉두난발2)한 여인이 하나
논바닥에 퍼더 버리고3) 앉았어라

방성통곡4)하며 하는 말이
하느님아 이게 웬일인고

차마 어찌 뽑을 수 있으리오
우리 가족 목숨이 달려 있는 이 볏모를

오뉴월 여름철에
찬 바람만 스산히 불어오네

3

싱싱하게 자라는 볏모를
내 손으로 직접 뽑아 버리다니

무럭무럭 자라는 볏모를
내 손으로 죽여 버리다니

싱싱하게 자라는 볏모를
가래처럼 매 버리다니

무럭무럭 자라는 볏모를
가랑잎처럼 태워 버리다니

  4

뽑아서 묶어서 한꺼번에
시냇가 진펄⁵⁾에 두어나 볼까

행여나 하늘에서 비를 내려 주신다면
논에 다시 갖다 꽂아나 보게

나에게 아들 셋이 있어
젖 먹이고 밥 먹여서 길렀어라

그 아들 하나를 바쳐서라도
죽어가는 이 모를 살리고 싶을 뿐이네

🔍 주요 풀이   1) 벼의 모.
2) 쑥대강이처럼 흐트러진 머리털.
3) 팔다리를 아무렇게나 뻗어 앉아 버리고.
4) 목을 놓아 몹시 섧게 욺.
5) 진창으로 된 벌.

호랑이 사냥

오월이라 여름철에
산은 깊고 숲은 울창한데
호랑이 새끼 낳아
먹이를 찾아 돌아다니네

여우도 토끼도 다 잡아가더니
이제는 사람까지 해치려고
깊은 동굴에서 벗어나서
마을 뒷산에서 어슬렁거리네

나무하는 총각들도
나물 캐던 처녀들도
도롱이[1] 쓴 농부들도
길에서 얼씬도 하지 않네
산골에 사는 백성 대낮에도
문단속 심하여라

홀어머님 슬피 울며
식칼 들고 나서고
장정들은 분격하여
화살통을 메고 나서네

고을 원님 이 말 듣고

마을 사람을 측은해하는 체
사령 군노 신칙하여
호랑이 사냥 명령하네

원님 사냥 나온다는
그 소문 전해지자
마을 사람들은 도리어
기겁하고 질겁하네

장정들 재빨리 도망쳐
자취를 감추고
늙은이들은 할 수 없이
포로 모양 붙잡혔네

기세등등한 군노놈들
집집마다 찾아다니며
나팔 불고 피리 불며
살판났다고 돌아다니네

씨암탉 잡아 삶고
돼지 잡아 요리하니
온 마을 발끈 뒤집혔네
방아 찧어 이밥²⁾짓고
초석³⁾ 깔아 대접하기에
동네 사람들 넋을 잃었네

곤드레만드레 술 마시며
긴 담뱃대 피워 물고
사령 군노 무리를 지어
북소리 둥둥 울리며
호랑이 몰아나가네

이정4)은 앞장 서서
호랑이 머리를 벗기고
전정5)은 그 뒤를 따라
호랑이 네 발을 꽁꽁 동여매네

주먹이 날아들고
발길로 차고 구르니
호랑이가 시뻘건 피를 토하고
넘어져 쓰러져 죽네

얼룩이 진 호랑이가죽 한 장
고을문에 내걸리니
손뼉 치며 좋아하네
돈 한푼 들이지 않고
좋은 보물 얻었다고
애시당초 어느 자가
호환이 났다고 알렸던가
입빠른 것이 잘못이라

원성을 들어 사거니

호랑이 환난을 만나면
한두 사람만 상하는데
이건 어이 뭇사람들이
이 환난 당할소냐

주요 풀이 1) 짚·띠 따위로 엮어, 농부가 어깨에 걸쳐 두르던 우장의 하나.
2) 입쌀로 지은 밥. 쌀밥.
3) 짚으로 친 자리.
4) 관리들의 앞잡이질을 하던 마을 동장.
5) 지주들의 시중꾼으로 그 앞잡이질을 하던 마름.

어린아이

어린아이의 얼굴 참으로 순진하여라
진 날 갠 날에도 그 무슨 시름이 있으랴

잔디밭에서는 송아지처럼 뛰어놀고
무르익은 과일나무에서는 원숭이처럼 매달리며 노네

집 뒤 언덕에서는 쑥대활을 쏘고
시내 웅덩이에서는 갈잎배를 띄우네

이 세상의 분주한 자들이여
어린아이와 함께 놀아본들 어떠리

궂은 비

궂은 비 궂은 비
멎을 생각도 없이 계속 쏟아지는 궂은 비
땔나무가 다 떨어져
동네 사람들 시름에 잠기네

부엌 안에 고인 물
한 자가 넘네
허나 애들은 철이 없어서
쪽배를 만들어 띄우며 노네

논술 길잡이
(고시조)

❶ 이방원의 〈하여가〉에 대한 답가로, 정몽주는 〈단심가〉를 지었다. 두 사람의 삶의 태도를 비교해 보고, 자신의 입장을 얘기해 보자.

하여가

이런들 어떠하며 저런들 어떠하리
만수산 드렁칡이 얽어진들 긔 어떠리
우리도 이같이 얽어져 백 년까지 누리리라

단심가

이 몸이 죽고 죽어 일백 번 고쳐 죽어
백골이 진토되어 넋이라도 있고 없고
님 향한 일편단심이야 가실 줄이 이시랴

논술 길잡이
(고시조)

❷ 아래의 시는 집에서 기르는 개를 소재로 하여, 자신의 감정을 솔직하게 표현하고 있는 사설시조이다. 양반들이 쓴 평시조와, 평민들이 창작한 사설시조의 차이점을 비교해 보자.

> 바둑이 검둥이 청삽사리 중에 조 노랑암캐같이 얄밉고 잣미우랴
> 미운 님 오게 되면 꼬리를 회회치며 반겨 내닫고
> 고운 님 오게 되면 두 발을 벋디디고 콧살을 찡그리며 무르락 나오락 캉캉 짖는 요 노랑암캐
> 이튿날 문 밖에 개 사옵세 외는 장사 가거들랑 찬찬동여 내어주리라

....

....

....

....

....

논·술·한·국·대·표·문·학 〈전60권〉

펴 낸 이   정재상
펴 낸 곳   훈민출판사
주   소   경기도 고양시 덕양구 원당동 416번지
대 표 전 화   (031)962-3888
팩   스   (031)962-9998
출 판 등 록   제395-2003-000042호